CW00411335

Dr.-Ing. Jian-Ping QIN

Deutsche Unternehmen in China

Rückblick auf 20 Jahre Geschäftserfahrungen

Lektorat: Erik Kinting – www.buchlektorat.net
Umschlag & Satz: Erik Kinting

Verlag und Druck:
tredition GmbH
Halenreie 40-44
22359 Hamburg

978-3-347-08709-5 (Paperback)
978-3-347-08710-1 (Hardcover)
978-3-347-08711-8 (e-Book)

Bibliografische Information der Deutschen Nationalbibliothek:
Die Deutsche Nationalbibliothek verzeichnet diese Publikation in der Deutschen Nationalbibliografie; detaillierte bibliografische Daten sind im Internet über http://dnb.d-nb.de abrufbar.

Inhalt

Vorwort

Die USA, Deutschland, Japan und China können als *Superproduktionsländer* betrachtet werden. Obwohl die USA, eine ehemalige Produktionsmacht, ihre führende Position in der Hochtechnologie beibehalten haben, gaben sie diese im traditionellen Industriebereich jedoch auf.
In der Industrie kursiert ein Sprichwort: *Die Amerikaner patentieren die Erfindung, die Deutschen machen daraus ein Produkt, die Japaner miniaturisieren es und die Chinesen machten es billig*. Obwohl das etwas überzogen ist, verdeutlicht dieser Spruch im Grunde die Merkmale dieser Länder: Die USA sind führend in der Hochtechnologie, Deutschland ist gut in der Entwicklung von Produkten, Japan ist gut in der Optimierung von Produkten, und China hat die Kosten durch Massenproduktion erheblich reduziert.
Dieses Buch konzentriert sich auf *Made in Germany* und *Made in China*.
Deutschland ist weltweit für seine Qualität und Zuverlässigkeit bekannt und hat in Europa fast keine Konkurrenten mehr. Die Einführung des Euro macht es den Euro-Ländern unmöglich, ihre Produkte durch die Abwertung ihrer Währungen vor den Deutschen zu schützen; mithilfe des Euro durchbrachen deutsche Produkte die Grenzen und besetzten Europa. Die weltweit bekannte deutsche Industrienorm *DIN* ist zur europäischen Norm *EN* geworden.

In Bezug auf die moderne Industrie müssen wir anerkennen, dass Deutschland ein Lehrer für China ist, die deutsche Qualität hat weltweit historische Ausmaße. So wusste der Autor zum Beispiel schon in seiner Kindheit, dass die deutsche Firma *Zeiss* zu dieser Zeit die besten Kameras der Welt herstellte.

Gegenüber *Made in Germany* haben die Chinesen seit dem Zweiten Weltkrieg Respekt. In den chinesischen Medien finden sich häufig verschiedene Artikel, in denen Deutschland und deutsche Produkte vorgestellt werden. Die Berichte sich voller Lob und Anerkennung, das deutsche Modell wird in China fast vergöttert. Deutsche Produkte sind immer Muster für Kopien chinesische Produkte und das deutsche Unternehmensmanagement ist immer Vorbild für die chinesische Unternehmensführung. Obwohl *Made in China* auf der ganzen Welt den Mid-End- und Low-End-Markt zurzeit dominiert hat, bleibt *Made in China* im High-End-Markt jedoch hinter *Made in Germany* zurück. Der Aufstieg des chinesischen Modells bedeutete also nicht den Niedergang des deutschen Modells.

Dieses Buch beabsichtigt nicht, das deutsche Modell durch das chinesische zu ersetzen, sondern vielmehr die Rationalität dieser beiden Modelle in eigenen Existenzumfeldern zu diskutieren.

Existenzumfeldanalyse der deutschen und chinesischen Geschäftsmodelle

Zunächst muss betont werden, dass jedes der beiden Modell ein eigenes soziales, wirtschaftliches und kulturelles Umfeld hat. Der deutsche Philosoph Hegel sagte: *Was vernünftig ist, das ist wirklich; und was wirklich ist, das ist vernünftig*.

Der Erfolg eines Modells ist untrennbar mit seinem jeweiligen Existenzumfeld verbunden. Ein Modell, das an dem einem Ort erfolgreich ist, ist möglicherweise nicht oder nicht vollständig für einen anderen Ort geeignet, wenn das Existenzumfeld ein anderes ist. Mit anderen Worten: Wir müssen zunächst einen objektiven Vergleich der Existenzumfelder deutscher und chinesischer Unternehmen durchführen. Durch den Vergleich der Unterschiede bei Sozialsystem, Wirtschaftssystem, Markteigenschaften, Kultur und Unternehmensmanagement zwischen China und Deutschland können wir die Unterschieden der beiden Geschäftsmodelle in ihrem jeweiligen Existenzumfeld besser verstehen.

1. Sozialsystem

Deutschland ist ein Rechtsstaat. Die Gesetze gelten für alle und müssen befolgt werden. Fast alle deutschen Unternehmen machen ihre individuellen *Allgemeinen*

Geschäftsbedingungen zur Vertragsgrundlage, wobei alle rechtlichen Punkte genau definiert sind. Funktionen, Anwendungsbereich und Gebrauchsanweisung eines Produkts sowie die Qualitätsgarantie etc. sind in Deutschland klar definiert und gesetzlich festgelegt. Die Verantwortung bei Problemen steht auch vollständig unter rechtlicher Aufsicht. Klare gesetzliche Anforderungen und rechtliche Verantwortlichkeiten führen wiederum zu extrem hohen Anforderungen an die Produktqualität. Das ist die rechtliche Grundlage für die hohe Qualität deutscher Produkte.

China ist ein Entwicklungsland und das Rechtssystem noch zu verbessern. Die rechtlichen Definitionen der Produktqualität, der Verantwortlichkeiten und Pflichten sind noch nicht klar genug definiert. Es gibt keine wirksame rechtliche Bewertungsmethode für die Qualitätsprobleme bei Produkten, daher mangelt es an einer ausreichenden Rechtsgrundlage für die Qualitätsanforderungen in China. Sobald ein Problem auftritt, geht es mehr darum, wie das Problem schnell gelöst werden kann, statt die Verantwortung zu klären. Das wiederum liegt am menschlichen Faktor in China, es wird alles über persönliche Beziehungen geregelt – *Vitamin B*, wie man in Deutschland sagt. Bei Streitfällen in Deutschland werden meistens direkt rechtliche Schritte eingeleitet und das Rechtsverfahren schließt das Problem normalerweise ab.

Beispielsweise ist die Abwicklung von Forderungen in Deutschland vergleichsweise einfach. Das gerichtliche

Mahnverfahren kann von jedem kostengünstig selbst betrieben werden, zusätzlich gibt es von Inkassobüros bis zu Anwälten zahlreiche qualifizierte Dienstleister, an die man das Mahnwesen auslagern kann. In China ist die Abschreckungskraft zum Beispiel von entsprechenden Anwaltsbriefen begrenzt und die Durchsetzung von Forderungen auf dem Rechtsweg unzureichend. Selbst wenn eine Klage gewonnen wird, ist das Urteil häufig nicht vollstreckbar. Daher erfolgt das Inkasso in China eher über die Beziehungen der Verkäufer. Dies ist ebenfalls dem menschlichen Faktor geschuldet. Persönliche Beziehungen haben in China immer noch eine große Wirkung. Es gibt dazu ein berühmtes chinesisches Sprichwort: *Alles ist schwer, aber alles ist möglich.*

Deutschland ist ein entwickelter und demokratischer Staat, garantiert die Menschenrechte und fördert die Familienwerte. Die Arbeiter und Angestellten streben nach gesunder Arbeit und angemessenem Urlaub. Sie möchten keine unbezahlten Überstunden machen und ungern unter hohem Druck arbeiten. Unternehmen ermutigen üblicherweise auch nicht zu harter Arbeit, von unrühmlichen Ausnahmen mal abgesehen. Die persönlichen und familiären Interessen der Mitarbeiter werden umfassend geschützt. Unternehmensinteressen werden weniger stark berücksichtigt, als in China.

Chinesische Unternehmen sehen die Arbeit an erster Stelle, die Mitarbeiter sollten sich für das Unternehmen opfern und für Arbeit und Karriere alles, einschließlich der Familie, unterordnen. Engagement wie freiwillige unbezahlte Überstunden werden als positive Einstellung gefördert. Die 9-9-6-Arbeitszeit (morgens um 9 Uhr zur Arbeit, abends um 9 Uhr Feierabend und das 6 Tage die Woche) ist für die Angestellte in China normal. Arbeiter privater Unternehmen arbeiten im Allgemeinen 10–12 Stunden am Tag und es ist normal, dass sie nur einen Tag pro Woche oder sogar nur einmal pro Monat freinehmen.

Deutsche Unternehmen haben starke Gewerkschaften, die die Beziehungen zwischen Arbeitgebern und Arbeitnehmern koordinieren. Die Mitarbeiter achten aber auch auf die Interessen des Unternehmens und beteiligen sich aktiv an verschiedenen Geschäftsvorgängen. Gute Beziehungen zwischen Arbeitgebern und den Arbeitnehmern können die gesunde Entwicklung von Unternehmen fördern, wie man in Deutschland sieht. Gewerkschaften denken aber mehr über die Interessen der Arbeitnehmer als über das Unternehmen nach.

Ein Beispiel dazu ist eine deutsche Muttergesellschaft, die während der Finanzkrise 2009 Mitarbeiter entlassen musste. Die Entlassungen wurden mit dem Betriebsrat abgestimmt und richteten sich nach humanitären Grundsätzen: Ältere und minderqualifizierte Angestellte, die nur geringe Chance hatten, einen neuen Job zu finden, wurden beigehalten, während eine große Anzahl guter und junger Mitarbeiter, die problemlos einen neuen Arbeitgeber finden konnten, freigestellt wurden; infolgedessen ist die Wettbewerbsfähigkeit des Unternehmens stark geschwächt worden.

Chinesische Gewerkschaften sind demgegenüber grundsätzlich ineffektiv. Die Gewerkschaften staatlichen Unternehmen kümmern sich um die einfachen Belange von Arbeitnehmern und haben im Grunde kein Mitspracherecht bei der Unternehmensführung. Ausländische und private Unternehmen haben in China daher fast keine Gewerkschaften.

Der Staat ermutigt Unternehmen allerdings, Gewerkschaften zu gründen. Er erhebt zwei Prozent der Gesamtlohnkosten der Unternehmen als Gewerkschaftsgebühren; das Geld kann nach Gründung der Gewerkschaften erstattet werden. Die meisten Unternehmen verzichten aber lieber auf diese zwei Prozent und die Gründung einer Gewerkschaft. Der Wunsch der Arbeitnehmer nach einer Gewerkschaft ist aber ebenfalls nicht stark.

Chinesische Unternehmen haben also mehr Gestaltungsmöglichkeiten in Mitarbeiterfragen, sind daher insgesamt flexibler und haben niedrigere Betriebskosten.

2. Wirtschaftssystem und Markteigenschaften

Deutschland hat eine entwickelte und stabile Marktwirtschaft. Der Markt und die Kunden verändern sich nur wenig, die Marktentwicklung ist sehr vorhersehbar. Dies ermöglicht Unternehmen eine genaue Planung mit optimalen Ergebnissen. Die deutsche Unternehmensführung basiert auf einem stabilen Markt und einem hohen Planungsgrad. Planung ist das Hauptmerkmal der deutschen Unternehmensführung.

China ist ein Entwicklungsland. Aufgrund der raschen Entwicklung und großen Schwankungen stellen Unvorhersehbarkeit und Unsicherheit ein wichtiges Merkmal des chinesischen Marktes dar. Zahlreiche Unsicherheitsfaktoren wirken sich negativ auf die Ergebnisse der Unternehmensführung aus. Aufgrund dieser Marktvolatilität verfügen chinesische Unternehmen jedoch über eine gute Plastizität und Flexibilität. Sie können sich schnell auf neue Situationen einstellen. Chinesische Unternehmen agieren auf der Basis volatiler Märkte, wobei Flexibilität das größte Merkmal chinesischer Unternehmen ist.

Deutschland verfügt ein ausgereiftes Marktwirtschaftssystem und die meisten Unternehmen halten sich an die Spielregeln. Es gibt weniger bösartigen Wettbewerb. Solange der Markt groß genug ist, wird es allen gut gehen und jeder wird Geld verdienen. Der Unterschied besteht nur darin, mehr oder weniger zu verdienen. Den Unternehmen fehlt jedoch ein Existenzdruck, was im Krisenfall zu einer schlechteren Bewältigungsfähigkeit führt.

Im chinesischen Markt ist bösartiger Wettbewerb viel verbreiteter, es werden nahezu alle Mittel zur Auftragsgewinnung eingesetzt. Dies verringert die Erträge der Unternehmen erheblich und behindert deren gesunde Entwicklung. Qualitätsanforderungen werden aus Kostengründen daher oft stark reduziert. Aus einer anderen Perspektive betrachtet führt diese Art von Wettbewerb jedoch dazu, dass gute Unternehmen gestärkt und schlechte beseitigt werden. Der harte Wettbewerb zwingt die Unternehmen zu Kostensenkungen und Innovationen. Deshalb sind chinesische Produkte weltweit wettbewerbsfähiger.

Als hoch entwickeltes Land mit gutem Einkommen und Wohlstand legt Deutschland mehr Wert auf Qualität und Service. Die Hauptprodukte auf dem deutschen Markt zeichnen sich daher durch hohe Qualität mit extrem hoher Zuverlässigkeit aus und sind teilweise lebenslang haltbar. Die Preise sind jedoch entsprechend hoch und gehören mit zu den höchsten Preisen weltweit. Die Deutschen haben ein starkes Qualitätsbewusstsein und sind demgegenüber relativ unempfindlich gegenüber hohen Preisen, wenn die Qualität stimmt. Das Streben nach Qualität ist daher das Hauptziel deutscher Unternehmen; hochpreisige Produktionsmodelle sind in Deutschland allgemein anerkannt.

Die Chinesen hingegen schätzen mehr ein günstiges Preis-Leistungs-Verhältnis, die chinesischem Unternehmen streben daher eher nach der Realisierung günstiger Verkaufspreise für ihre Produkte. Chinesische Hauptprodukte zeichnen sich dementsprechend durch ein gutes Preis-Leistungs-Verhältnis aus, wobei nicht nur der Preis ausschlaggebend ist. Das Streben nach einem guten Preis-Leistungs-Verhältnis ist das Hauptziel chinesischer Unternehmen. Die Chinesen akzeptieren nur den für die jeweilige Qualität angemessenen Preis, je nach Preis ergibt sich daher eine entsprechende Qualität: Bei hoher Qualität muss der entsprechend hohe Preis akzeptiert werden, bei billigen Produkten werden die Qualitätsanforderungen gesenkt. Es gibt einen High-End-, Mid-End-Markt und Low-End-Markt in China. Der Mid-End-Markt ist Hauptmarkt und viel größer als der High-End-Markt, entsprechenden Hauptprodukte sind kostengünstige Produkte mit akzeptabler Qualität.

Deutschland ist ein Land mit hohem Einkommen. Aufgrund der hohen Lohnkosten in Deutschland sind arbeitsintensive Unternehmen in Deutschland nicht wettbewerbsfähig. Viele Unternehmen der traditionellen Maschinenindustrie in Deutschland haben sich durch Mechanisierung und Automatisierung zu technologie- und kapitalintensiven Betrieben entwickelt.

Der Anteil der Lohnkosten am Endprodukt ist sehr gering. Die Lohnkosten in China sind in den letzten Jahren sehr schnell gesteigert. Zu Kostensenkung implementieren viele chinesische Unternehmen daher inzwischen schrittweise Automatisierungs- und Mechanisierungsmaßnahmen. Trotzdem machen die arbeitsintensiven Unternehmen aufgrund des noch relativ niedrigen Lohnniveaus und der großen Bevölkerung immer noch den Hauptanteil der chinesischen Fertigungsindustrie aus. Das Management technologieintensiver Unternehmen und arbeitsintensiver Unternehmen ist völlig unterschiedlich: Das technologieintensive Unternehmen konzentriert sich auf die Erhöhung der Produktionseffizienz durch Verbesserung der Technologie und Einführung fortschrittlicher Anlagen, das arbeitsintensive Unternehmen konzentriert sich hingegen darauf, wie die Motivation der Arbeitnehmer zur Erhöhung der Produktionseffizienz gesteigert werden kann.

3. Kultur und Gepflogenheit

Die Deutschen sind streng, seriös und akribisch. Sie machen alles genau nach Vorschrift und keine Kompromisse oder Zugeständnisse in Bezug auf die Regeln; sie streben stets nach Perfektion. Für die Sicherheit würde man lieber mehr tun als zu wenig. Die Prozesse und Vorschriften sind daher sehr umständlich und kompliziert, was die Effizienz reduziert.
Die Chinesen sind flexibel und anpassungsfähig. Das Streben nach schnellen Lösungen bei Problemen steht immer an erster Stelle. Zur Problemlösung kann alles möglichst getan werden; unter der Voraussetzung der Ergebnissicherung gilt: je einfacher, je günstiger, desto besser.
Die Deutschen haben einen starken Nationalstolz und ein Gefühl der Überlegenheit. Sie denken, dass in Deutschland alles vorbildlich ist. Andere können vom deutschen Modell nur lernen. Deutsche glauben mehr an Deutsche als an Ausländer. Die meisten deutschen Unternehmen implementieren daher ein zentrales Ma-

nagement durch die Muttergesellschaft, die Tochterunternehmen in anderen Ländern haben nur wenige Entscheidungsbefugnis. Viele deutsche Unternehmen verlangen außerdem, dass Geschäftsführer und Finanzleiter Deutsche sein müssen. Dies bewirkt zwar Vertrauen durch die Muttergesellschaft, führt aber zu Konservativität und verhindert flexible Reaktionen auf Veränderungen im lokalen Markt.

Die Chinesen hingegen verehren die Deutschen und glauben alles, was sie sagen. Die meisten deutschen Unternehmen in China übernehmen alles unverändert von der Muttergesellschaft, das ist auch der Grund, warum sich viele deutsche Unternehmen in China nicht gut an den chinesischen Markt anpassen können. Aufgrund der geografischen Entfernung und des Zeitunterschieds sowie der Besonderheit des chinesischen Marktes sollten chinesische Niederlassungen über ausreichende Autonomie verfügen, um Probleme flexible und schnell lösen zu können. Es ist nicht erforderlich, die Zentrale wegen jeder Einzelheit zu fragen und auf die Genehmigung zu warten. Die Muttergesellschaft sollte ihre Macht dezentralisieren, hauptsächlich eine Aufsichtsfunktion übernehmen und nur dann in die Geschäftsführung der Niederlassung eingreifen, wenn dies wirklich notwendig ist: *So viel wie möglich dezentralisiert und so weniger wie notwendig zentralisiert*, sollte die Devise sein.

Die Deutschen sind weder begeistert noch geschickt bei der Beziehungspflege, sie kommen lieber direkt zur

Sache und das auf dem offiziellen Weg. Sie wahren Distanz und tun nur das Nötigste.
Die Chinesen legen großen Wert auf Beziehungen und sind gut im Beziehungsaufbau. Sie bauen gerne private Freundschaften mit Kunden auf, bevor sie mit ihnen Geschäfte machen. Wenn die private Beziehung aufgebaut ist, kommt das Geschäft, und solange die Beziehung zu den Schlüsselpersonen der Kunden gut ist, bleibt das Geschäft stabil.
Die deutsche Nation ist besonders diszipliniert. Solange es Vorschriften und Verordnungen gibt, werden sie kompromisslos umgesetzt, auch wenn man vielleicht eine abweichende Meinung hat. Es gibt starke Exekutivgewalt in deutschen Unternehmen.
Chinesen haben ein starkes Selbstbewusstsein. Anweisungen, die nicht ihren eigenen Anforderungen entsprechen, werden ignoriert oder nach eigenem Dafürhalten angepasst.
Die Deutschen achten darauf, ihr Gesicht zu wahren, sie mögen es, Stärke zu zeigen sowie die eigene Rolle zu betonen. Bescheidenheit wird nicht hoch angesehen.
Die Chinesen erkennen Bescheidenheit als Tugend an; man hält es mit dem chinesischen Sprichwort: *Der höchste Baum wird vom Wind zerstört und der auffällige Vogel wird zuerst geschossen.* Man sollte nicht arrogant sein, sondern bescheiden bleiben.
Die Deutschen sind nicht gut in Preisverhandlungen und schämen sich, mit ihren Vorgesetzten über eine Gehaltserhöhung zu sprechen. Die Gehaltserhöhung

scheint in Deutschland eher Sache der Gewerkschaften zu sein. Die Deutschen mögen es nicht, die Gehälter von anderen mit dem eigenen zu vergleichen, und fragen auch privat nicht nach dem Einkommen anderer, das gilt in Deutschland sogar als No-Go.
Chinesen vergleichen gerne horizontal, insbesondere Gehaltsunterschiede. Selbst wenn Ihr Gehalt sehr hoch ist, sind sie unglücklich, wenn Sie feststellen, dass andere auf derselben Ebene mehr verdienen.

4. Unternehmensmanagement

Deutsche Unternehmen betonen Prozessorientierung und fordern, dass alles nach deutschem Muster abläuft. Die Deutschen legen großen Wert auf Prozessorientierung und glauben, dass nur gute Prozesse gute Ergebnisse bringen – und ein guter Prozess kann nur der deutsche Prozess sein, da neigen Deutsche zu Sturheit. Deutsche Prozesse sind jedoch oft zu komplex, ineffizient und kostenintensiv.
Chinesische Unternehmen legen mehr Wert auf Ergebnisorientierung und sagen: *Viele Wege führen nach Rom*. Alle Mittel und Methoden können eingesetzt werden, um das beste Ergebnis zu erzielen, es gibt keine grundsätzlichen Einschränkungen. Ein Prozess ist nur ein Mittel zum Ziel, solange das Ergebnis stimmt, spielt es keine Rolle, wie es zustande kommt oder welcher Prozess angewendet wird. Chinesen sind stets bereit,

neue Methoden auszuprobieren, und streben nach hoher Effizienz sowie niedrigen Kosten.
In Deutschland werden hohe Fixlöhne und hohe Sozialleistungen im Zusammenspiel mit niedrigen oder gar keinen Boni eingesetzt, Anreizsysteme sind nicht allzu verbreitet. Mehr Leistung bedeutet also nicht mehr Einkommen, für schlechte Arbeit wird nicht weniger bezahlt. Der Arbeitsdruck der Mitarbeiter ist nicht so groß, daher fehlt ihnen oft der Kampfgeist. Im Vergleich zu China ist Deutschland immer noch ein Wohlfahrtsstaat, in dem das Gehaltsniveau durch Gesetz und Gewerkschaften klar festgelegt werden. Das Hochlohnsystem hat die Kosten der Unternehmen entsprechend stark erhöht und die Personalkosten machen dadurch einen großen Anteil der Gesamtkosten aus. Normale Unternehmen haben in Deutschland daher keinen großen finanziellen Spielraum, um ein lukratives Anreizsystem einzuführen. Die Unternehmensführung in Deutschland hängt traditionell mehr von der Qualifikation der deutschen Mitarbeiter als vom Anreizsystem ab, Abweichungen gibt es nur im mittleren bis oberen Management durch ausländische, meist amerikanische Einflüsse, was in der Bevölkerung aber eher ablehnend gesehen wird. Dies ist auch der Grund, warum deutschen Unternehmen in der Regel eine eher geringe Vitalität haben.
Chinesische Unternehmen legen besonderen Wert auf die Implementierung leistungsabhängiger Motivationssysteme. Aufgrund der Kostenstruktur ist es chinesi-

schen Unternehmen möglich, generell ein relativ niedriges Gehalt plus hohe Prämien durchzusetzen. Darüber hinaus machen chinesische Unternehmen den Mitarbeitern hohen Druck, um sie zu harter Arbeit zu zwingen. Unter Druck und mit starken Anreizmechanismen wird, zumindest aus chinesischer Sicht, das maximale Potenzial der Mitarbeiter genutzt.

Die Deutschen achten auf sorgfältige Arbeit, die Zeit ist nicht so wichtig. Sie gehen davon aus, dass gute Produkte immer mehr Zeit brauchen. Man sollte besser gar nicht erst anfangen, solange nicht alle Details bedacht sind. Deutsche Unternehmen haben sehr hohe Anforderungen an ihre Produkte, sie werden nicht auf den Markt gebracht, solange sie nicht perfekt sind.

Chinesische Unternehmen achten auf Geschwindigkeit: *Zeit ist Geld, Effizienz ist Leben*, heißt es dort. Die Wichtigkeit der Geschwindigkeit wird stark betont. Wer das Produkt zuerst hat, kann schnell den Markt besetzen. Chinesische Produkte konzentrieren sich auf eine schnelle Lösung von Problemen und die schnelle Befriedigung der Marktnachfrage, sie streben nicht nach Perfektion von Anfang an. Wenn die Hauptfunktion eines Produktes gegeben ist, kann es auf den Markt gebracht und dann kontinuierlich verbessert werden.

Fazit

Zusammenfassend lassen sich die wesentlichen Unterschiede zwischen dem chinesischen und dem deutschen Geschäftsmodell wie folgt gegenüberstellen:

- Hohe Qualitätsanforderungen des deutschen Modells gegenüber guten dem Preis-Leistungs-Verhältnis des chinesischen Modells.
- Deutsche Rechtsbestimmungen gegenüber dem *Faktor Mensch* in China.
- Starke Mitarbeiterrechte in Deutschland gegenüber dem leistungsorientierten Mitarbeiterkonzept in China.
- Hoher Planungsgrad in Deutschland gegenüber hoher Flexibilität in China.
- Technologieintensive Unternehmen in Deutschland gegenüber arbeitsintensiven Unternehmen in China.
- Die hohe Genauigkeit und das Streben nach Perfektion des deutschen Modells gegenüber der hohen Effizienz und dem Streben nach schnellen Lösungen und niedrigen Kosten des chinesischen Modells.
- Das zentrale deutsche Modell, in dem die deutsche Muttergesellschaft und die Deutschen alles entscheiden gegenüber dem dezentralen Modell, in dem die chinesische Niederlassung nach den örtlichen Gegebenheiten unabhängig und selbstständig entscheidet
- Prozesssicherung des deutschen Modells gegenüber Ergebnissicherung des chinesischen Modells.

- Die deutsche Kultur mit Disziplin, Kompetenz und Respekt sowie Distanz im Umgang miteinander gegenüber der chinesischen Kultur mit Flexibilität, Bescheidenheit, Zurückhaltung sowie einer intensiveren Beziehungspflege.

Viele der Unterschiede zwischen dem chinesischen und dem deutschen Modell sind eigentlich relativ, in vielen Fällen auch nicht widersprüchlich, und das kann auch miteinander zusammenhängen: hohe Qualität und ein hohes Preis-Leistungs-Verhältnis, Prozess- und Ergebnisorientiertheit, hoher Planungsgrad und hohe Flexibilität, hohe Genauigkeit und hohe Effizienz können kombiniert werden. Eine vernünftige Kombination der beiden Modelle kann die besten Ergebnisse erzielen. Wenn ein Modell einseitig überbetonen würde, kann dies hingegen zu sehr schlechten Ergebnissen führen. Zum Beispiel könnte eine Überbetonung der hohen Qualität zu unnötig hohen Kosten führen und eine Überbetonung der niedrigen Kosten könnte zu schlechter Qualität führen.
Obwohl die beiden Modelle unterschiedlich sind, sind sie in ihrem jeweiligen Umfeld angemessen. Ein erfolgreiches Modell kann in einem anderen Existenzumfeld sinnlos werden und versagen.

Die meisten in diesem Buch analysierten Probleme bei verschiedenen Prozessen sind auf die einfache Kopie des deutschen Modells in China, ohne Rücksicht auf das

abweichende Umfeld zurückzuführen. Die Anpassung der Geschäftsführung deutscher Unternehmen in China an das chinesische Umfeld steht daher im Mittelpunkt dieses Buches.
Zunächst muss betont werden, dass das deutsche moderne Managementmodell eine wichtige Referenzbedeutung für die Geschäftsführung chinesischer Unternehmen hat und Grundlage und Ausgangspunkt für chinesische Unternehmen ist. Die Anpassung des deutschen Modells an die nationalen Gegebenheiten Chinas ist entscheidend dafür, ob ein deutsches Unternehmen in China erfolgreich sein kann.

Die Entwicklung der deutschen Unternehmen in China

Bevor wir mit der eigentlichen Diskussion beginnen, wollen wir die Entwicklungen deutscher Unternehmen in China kurz erläutern.

Der chinesische Markt für den arbeitsintensiven und traditionellen Maschinenbaubereich kann in drei Segmenten unterteilt werden:
Der **High-End-Markt** ist kein Hauptmarkt in China, er liegt bei nur fünf bis zehn Prozent Gesamtanteil. Dieser High-End-Markt ist der Hauptmarkt für deutsche und andere ausländische Markenprodukte. Obwohl der Marktanteil von High-End-Produkten vergleichsweise klein ist, ist dieser Markt wegen der Gesamtgröße des chinesischen Marktes für viele deutsche Unternehmen groß genug zum Überleben und Entwickeln. Über einen langen Zeitraum konnte die Entwicklung des High-End-Marktes mit dem chinesischen Gesamtmarkt Schritt halten, es waren goldene Jahre für deutsche Produkte in China. Mit der kontinuierlichen Verbesserung der Qualität und dem Preisvorteil der chinesischen Produkte im Mid-End-Markt wurde die Wachstumsrate des High-End-Marktes aber kontinuierlich niedriger. Obwohl der High-End-Markt immer noch wächst, kann er nicht mehr mit der Entwicklung des chinesischen Gesamtmarktes Schritt halten. Der interne Wettbewerb in High-End-Markt hat sich verschärft und das Gesamtpreisniveau ist gesunken.

Der **Mid-End-Markt** ist der Hauptmarkt in China und macht mehr als 60 Prozent aus; er ist hauptsächlich mit chinesischen Produkten besetzt. Der Mid-End-Markt kann das Hauptmerkmal des gesamten chinesischen Marktes am besten widerspiegeln, nämlich das Streben nach dem besten Preis-Leistungs-Verhältnis. Mit der kontinuierlichen Verbesserung der Produktqualität und den Produktfunktionen wird der Mid-End-Markt weiter expandieren und den High-End-Mark unter Druck setzen. Die Grenze zwischen High-End- und Mid-End-Markt ist bereits jetzt nicht mehr klar trennbar und es gibt einen Zwischen-, einen Übergangsmarkt. Dieser Übergang vom High-End- zum Mid-End-Markt sowie der Mid-End-Markt selbst sind für deutsche Produkte immer attraktiver geworden. Viele sind bereits eingetreten oder versuchen es gerade.

Der **Low-End-Markt** war einst der Hauptmarkt in China, vor 30 Jahren, in den frühen Phasen der Reform und Öffnung. Er hat einst der Welt den Eindruck vermittelt, dass Produkte aus China billig und minderwertig sind. Mit der Verbesserung der Produktqualität sind viele ursprüngliche Low-End-Produkte in den Mid-End-Markt eingedrungen und das wiederum hat zu einem starken Rückgang des Low-End-Marktes geführt. Deutsche Produkte kommen aufgrund ihrer Qualität bzw. der damit einhergehenden Preise nicht in den Low-End-Markt rein. Der Low-End-Markt hat praktisch nichts mit deutschen Produkten zu tun.

In Bezug auf die Qualität sind chinesische High-End-Produkte mit deutschen Mid-End-Produkten, und chinesische Mid-End-Produkte mit deutschen Low-End-Produkten vergleichbar. Chinas Low-End-Produkte sind auf dem deutschen Markt praktisch chancenlos. Mit anderen Worten: Das Qualitätsniveau in Deutschland ist eine Stufe höher als das chinesische, das ist der wesentliche Unterschied zwischen den Märkten der beiden Länder.

Die meisten deutsche Unternehmen in China haben bereits vier Phasen durchgelaufen, die im Folgenden dargestellt werden. Um einen einfachen und übersichtlichen Preisvergleich zu ermöglichen, wird dafür ein Preisindex verwendet, der das Ausmaß der Produktpreisänderungen darstellt. Es wird dafür angenommen, der Preisindex für vergleichbare chinesische Produkte beträgt zum Vergleichszeitpunkt 100.

- In der ersten Phase werden hauptsächlich Originalprodukte *Made in Germany* auf den chinesischen High-End-Markt verkauft.
  Wenn es in China kein kompetentes Produkt gibt oder die Produktqualität und -funktion den chinesischen Produkten absolut überlegen ist, können deutsche Produkte zu hohen Preisen verkauft werden, unabhängig davon, ob sie importiert werden oder nicht. Der Preisindex beträgt 200–400 bei vergleichsweise geringen Stückzahlen.

- In der zweiten Phase wird die Produktion in China aufgenommen, um die Kosten zu senken und die Wettbewerbsfähigkeit auf dem chinesischem High-End-Markt zu verbessern.
  Die Produktion in China wird von Anfang vor allem auf Kostensenkung ausgerichtet. Die Produkte werden hauptsächlich nach Deutschland und in anderen internationalen Märkten geliefert und verkauft. Da der chinesische Markt wächst und die Konkurrenz mit anderen traditionellen internationalen Wettbewerbern auf dem chinesischen Markt sich verschärft, fallen die Preise weiter. Um Zölle und Kosten zu senken, müssen die Produkte in China hergestellt werden, um die Wettbewerbsfähigkeit auf dem chinesischen Markt zu steigern. Da das Absatzvolumen steigt, können immer noch gute Erträge trotz sinkender Preise erzielt werden. In dieser Phase werden im Grunde die gleichen Produkte wie in Deutschland hergestellt und die Kernkomponenten kommen ebenfalls noch aus Deutschland. Die Anforderungen einiger unkritischer Bauteile und Toleranzen werden jedoch zwecks Kostensenkung angemessen gelockert. Die Preise in dieser Phase bleiben höher als vergleichbare chinesische Produkte, der Preisindex beträgt 150–200. Im Prinzip werden noch deutsche Standards eingesetzt.

- In der dritten Phase wird die Produktstrategie angepasst, um die Kosten zu senken und mit chinesischen Produkten auf den Zwischenmarkt vom High-End- zum Mid-End-Markt zu konkurrieren.
  Mit dem raschen Wachstum der Qualität der chinesischen Produkte haben viele deutsche Produkte nach und nach ihre ursprünglichen qualitativen und technischen Vorteile eingebüßt und können nicht länger zu hohen Preisen verkauft werden, sondern müssen mit chinesischen Produkten auf fast gleichem Preisniveau konkurrieren. Produkt- und Preisanpassungen zur Kostensenkung auf dem chinesischen Markt sind für viele deutsche Unternehmen notwendig geworden. Die Qualität der Produkte in dieser Phase unterscheidet sich von den Produkten *Made in Germany*, zur Kostensenkung wurde der deutsche Standard teilweise aufgegeben. Die Zusammenarbeit mit chinesischen Unternehmen über OEM oder ODM und andere Methoden ist für deutsche Unternehmen in dieser Phase der richtige Weg, um in China zu überleben. Da die Produkte nur in China verkauft werden, werden hauptsächlich chinesische Standards verwendet, das ermöglich es deutschen Unternehmen, mit chinesischen Produkten konkurrieren zu können. Trotz gleichen Qualitätsniveaus kann das deutsche Produkt aber dennoch zu einem etwas höheren Preis verkauft werden. Der Preisindex beträgt 120–150.

- In der vierten Phase folgt die Entwicklung neuer Produkte nur für den chinesischen Mid-End-Markt. Die rasante Entwicklung der chinesischen Wirtschaft hat zu einem riesigen Mid-End-Markt geführt. Mit der relativen Schrumpfung des High-End-Marktes und dem schnellen Wachstum des Mid-End-Marktes ist dieser zu einem Zielmarkt für viele deutsche Unternehmen geworden. Um in den riesigen chinesischen Mid-End-Markt einzutreten, werden speziell kostengünstige Produkte mit vereinfachten Konstruktionen und Funktionen unter derselben Marke entwickelt und produziert. Es können ausgesuchte gute chinesische Produkte mit deutschem Logo übernommen werden. Diese Produkte werden nur auf dem chinesischen Markt verkauft und unterscheiden sich stark von den Produkten der gleichen Marke auf dem deutschen Markt. Die Preise sind auf das Niveau vergleichbarer inländischer Produkte gefallen. Der Preisindex beträgt 110-120. In dieser Phase werden chinesische Standards angewendet.

Viele deutsche Unternehmen können diese vier Phasen schrittweise hintereinander oder parallel durchlaufen und gleichzeitig Produkte mit unterschiedlichen Standards gemäß den unterschiedlichen Marktanforderungen herstellen. Neu entwickelte oder hochtechnische Produkte kommen üblicherweise zuerst auf den High-End-Markt in China. Produkte, die hauptsächlich auf dem chinesischen High-End-Markt verkauft und in China hergestellt werden, befinden sich hingegen bereits in der zweiten Phase. Die relativ einfachen und Low-tech-Produkte, die in den Zwischenmarkt und den Mid-End-Markt eintreten, befinden sich in der dritten Phase. Diejenigen Unternehmen, die die Kraft haben, Produkte speziell für den Mid-End-Markt zu entwickeln, treten in die vierte Phase ein.

Deutsche Produkte in unterschiedlichen Entwicklungsphasen werden unterschiedliche Anforderungen haben und sollten anders behandelt werden, anstatt über einen Kamm geschoren zu werden. Daher ist eine genaue Marktpositionierung für in China verkaufte Produkte erforderlich. Nur nach einer präzisen Marktpositionierung können geeignete Produktstrategien entwickelt werden, um den Erfolg auf dem chinesischen Markt sicherzustellen. In diesem Buch wird hauptsächlich die Geschäftstätigkeit deutscher Unternehmen in China von den zweiten bis vierte Phasen erörtert.

Während der Entwicklung deutscher Unternehmen in China ist deutlich zu erkennen, dass die Kostensenkung und das Streben nach einem guten Preis-Leistungs-Verhältnis zur Hauptaufgabe der deutschen Unternehmen in China geworden sind. Das wird in der folgenden Prozessanalyse diskutiert.

Prozessmanagement der deutschen Unternehmen

Folgend wird aus Sicht des Prozessmanagements analysiert, wie sich diese Unterschiede zwischen dem chinesischen und dem deutschen Geschäftsmodell speziell auf verschiedene Prozesse in den deutschen Unternehmen in China auswirken.

Deutsche Unternehmen setzen in der Regel das sogenannte *Prozessmanagement* ein, was bedeutet:

- alle Tätigkeiten des Unternehmens zu standardisieren, zu programmieren und zu rationalisieren.
- Markt-, Kunden- und Ergebnisorientierung zu implementieren, um die Anforderungen des Marktes und der Kunden zu erfüllen und die besten Ergebnisse zu erzielen.
- alle Prozesse mit Kernzahlen zu beschreiben; die Kernzahlen ermöglichen eine quantitative Bewertung der Prozesse.
- die kontinuierliche Verbesserung des Prozesses zu gewährleisten, denn nur durch kontinuierliche Verbesserung kann ein Unternehmen lebendig und erfolgreich bleiben.

Prozessmanagement ist eigentlich die Zusammenfassung der Erfahrungen moderner Unternehmensführung und auch die Anforderung aus dem internationalen Qualitätsmanagementsystem ISO9001.

Im modernen Unternehmensmanagement wird das Prozessmanagement durch ERP-Software realisiert.

Jeder Schritt jedes Prozesses kann im Softwaresystem klar festgelegt werden. Wenn die Regeln des Prozesses verletzt werden, lehnt das System den nächsten Schritt ab und der Prozess wird gestoppt.

Die prozessgemäße Unternehmensführung ist zum Standard deutscher Führungskräfte geworden und in den Köpfen der Deutschen fest verwurzelt. Das Wichtigste in deutschen Unternehmen ist daher die Prozesssicherheit – alles muss in Übereinstimmung mit den Prozessen gehandhabt werden, nur dann können die erwarteten Ergebnisse erzielt werden.

Die Prozesse eines Unternehmens können in Schlüsselprozesse, Managementprozesse und Supportprozesse unterteilt werden. Die folgende Abbildung zeigt das allgemeine Ablaufdiagramm des Prozessmanagements eines Unternehmens. Der Vertriebsprozess, der Produktmanagementprozess, der Produktionsprozess und der Logistikprozess sind die Schlüsselprozesse. Strategische Entwicklung und Krisenmanagement, Unternehmensjahresplan, Unternehmensrevision und -kontrolle, Personalmanagement, Zielvereinbarung und Organisationsentwicklung sind Managementprozesse. Die Prozesse des strategischen Einkaufs, des Qualitätsmanagements, der Bearbeitung von Reklamationen, des Finanzwesens, der IT-Dienstleistungen, des Marken- und Patentschutzes, der Produktkalkulation, der Verwaltung, des Unternehmensimages sowie der Personalgewinnung und -bindung sind Supportprozesse.

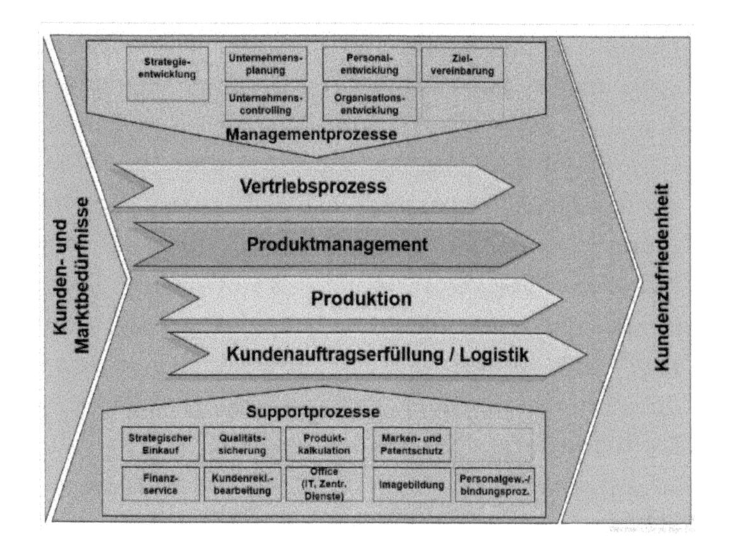

Für jeden Prozess verfügen deutsche Unternehmen über detaillierte Prozessdokumente. Im Rahmen dieses Buches ist es nicht möglich, alle Prozesse detailliert vorzustellen.

Die zentralen und praktischen Fragen, denen alle deutschen Unternehmen beim Eintritt in den chinesischen Markt gegenüberstehen, sind:

- Müssen die deutschen Unternehmen in China die gleichen Prozesse anwenden wie die Muttergesellschaft in Deutschland?
- Müssen die deutschen Qualitätsstandards für die deutschen Produkte *Made in China* streng eingehalten werden?

Die meisten deutsche Unternehmen in China setzen dieselben Prozess- und Qualitätsstandards ein, wie die deutsche Muttergesellschaft, und bezeichnen es als sogenanntes *globales Modell*. Sie betrachten diese Standards als universell richtig und sind stolz darauf. Dieser Gedanke ist normal und verständlich, immerhin verfügt die Muttergesellschaft bereits über komplette Prozesse und Standards und ist in Deutschland sehr erfolgreich tätig. Es ist natürlich am bequemsten, das direkt zu kopieren. Die Praxis hat jedoch gezeigt, dass eine hundertprozentige Kopie der deutschen Prozesse der Muttergesellschaft Probleme bereiten kann.

Die schrittweise Verbesserung deutscher Prozesse zur Anpassung an den chinesischen Markt ist ein Muss für alle deutschen Unternehmen in China. Dieses Buch versucht, objektive Vergleiche und Analysen zu den Prozessen chinesischer und deutscher Unternehmen, insbesondere deutscher Unternehmen in China durchzuführen. Es wird hauptsächlich erörtert, welche Probleme auftreten können, wenn die bestehenden deutschen Prozessmanagements in China angewendet werden. Es werden Vorschläge gemacht, wie man diese Probleme auf dem chinesischen Markt umgehen und verbessern kann.

Da das Unternehmen, bei dem der Autor beschäftigt war, zu den Unternehmen in der arbeitsintensiven und traditionellen Maschinenbaubranche in China gehört, sind die meisten Aussagen i auf diesen Bereich bezogen.

Prozess der Unternehmensplanung

Deutsche Unternehmen arbeiten streng nach Plan. Die jährliche Unternehmensplanung ist ihnen sehr wichtig und erfordert viel Zeit und Aufwand. Die Hauptaufgabe deutscher Unternehmen für fast die gesamte zweite Jahreshälfte ist Planung für das Folgejahr. Von Umsatzplanung, Absatzplanung, Personalplanung über Kostenstellen- und Budgetplanung sowie Investitionsplanung bis zu GuV- und Bilanzplanung werden während des gesamten Planungsprozesses strenge Kontrolle und wiederholte Überarbeitungen und Anpassungen vorgenommen.
Der Plan muss von der höchsten Ebene des Unternehmens geprüft und genehmigt werden. Danach wird der Plan in das ERP-System eingegeben und von da an folgt das gesamte Unternehmen strikt dem Plan. Nach Erteilung aller Budgetpläne sind grundsätzlich keine großartigen zwischenzeitlichen Änderungen mehr zulässig.
Es wird ein spezielles Controlling einrichten, die die Umsetzung des Plans überwacht, um das vorgesehene Ergebnis sicherzustellen. Das Controlling prüft den Unterschied zwischen dem Ist-Wert und dem Plan-Wert gemäß Plan und klärt die Abweichungen ab. Sobald eine größere Abweichung vorliegt, analysiert das Controlling die Gründe rechtzeitig und erstattet der Geschäftsleitung umgehend Bericht, um größere Fehler zu vermeiden. Dadurch wird sichergestellt, dass alles genau nach Plan läuft.

So arbeiten die meisten deutschen Unternehmen. Bei der Bewertung der Leistung eines Unternehmens geht es hauptsächlich darum, ob es eine Planabweichung gibt. Je kleiner die Abweichung ist, desto besser arbeitet das Unternehmen oder umgekehrt.

Der gesamte deutsche Planungsprozess ist streng und perfekt. Nach diesem Modell können Unternehmen die ihnen zur Verfügung stehenden Ressourcen optimal arrangieren und zuweisen. Das deutsche Modell geht jedoch davon aus, dass die Basisdaten des gesamten Plans stabil und genau sein müssen. Je genauer die zugrunde liegenden Daten sind, desto deutlicher werden die Vorteile dieses Modells. Deutschland hat eine ausgereifte Wirtschaftsstruktur. Unter normalen Umständen sind die Basisdaten sehr stabil und genau. Daher eignet sich dieses Modell sehr gut für ein Land wie Deutschland.

Die Anwendung des deutschen Planungsprozesses in China verursacht jedoch folgende Probleme:

- Dieser Prozess berücksichtigt nicht die Volatilität und Unvorhersehbarkeit des chinesischen Marktes, der stark schwankt. Änderungen können erheblich sein. Die Chinesen sagen oft: *Planung kann mit Veränderungen nicht Schritt mithalten.* In einem schnell wachsenden und sich verändernden Markt wie China wird die Genauigkeit eines Plans stark reduziert. Eine Abweichung von plus oder minus 30 Prozent ist in China normal.

- Die deutsche Art der Planung eignet sich nicht zur rechtzeitigen Anpassung an Marktveränderungen, denn nach der Planung darf das Jahresbudget grundsätzlich nicht mehr geändert werden. Es ist im Betrieb des Autors mal vorgekommen, dass der tatsächliche Umsatz in China weiter über dem Plan-Umsatz lag und zu einem entsprechenden Anstieg der außerplanmäßigen Vertriebskosten führte, was vom Controlling in Deutschland scharf kritisiert und blockiert wurde. Das geht nicht in Märkten mit hoher Entwicklungsgeschwindigkeit und großen Veränderungen.
- Der Plan ist angesichts der zu erwartenden Schwankungen zu kompliziert und der Planungsaufwand zu groß; zur Kontrolle und Überwachung ist ein Controlling erforderlich. Angesichts des chinesischen Marktes mit starker Datenabweichung ist dieser Aufwand mehr als fragwürdig.
- Die Bewertung eines Unternehmens auf Basis der Einhaltung des Plans führt dazu, dass die Geschäftsleitung nicht zu einem möglichst raschen Wachstum motiviert wird, sondern nur nach einem kleinen, aber sicheren Wachstum streben wird. Es gab ein Jahr, in dem die chinesische Niederlassung optimistisch eine Umsatzsteigerung um 50 Prozent plante, dann aber nur 40 Prozent schaffte. Dieses rekordverdächtige Wachstum hätte honoriert werden sollen, da es jedoch eine Abweichung vom Plan gab, wurde die chinesische Niederlassung schlecht bewertet. Der Bonus

des Niederlassungsleiters wurde um 20 Prozent reduziert. Im Gegensatz dazu wurden die Niederlassungsleiter, die Wachstumsraten von weniger als fünf Prozent erzielten, dies aber so eingeplant hatten, für die Einhaltung des Plans belohnt. Das hat die optimistischere Niederlassung hart getroffen, sie wird ihre Pläne in Zukunft möglicherweise niedriger ansetzen und sich damit selber demotivieren. Aber selbst wenn der Plan erfüllt wird, handelt es sich nur um eine fixe Prämie, es gibt keinen Unterschied zwischen dem knappen Erfüllen des Plans und einer massiven Übererfüllung um z. B. 50 Prozent. Außerdem wird die Zielvorgabe im darauffolgenden Jahr steigen, daher wird ein vorausschauender Niederlassungsleiter dies bei seiner Planung berücksichtigen und lieber konservativ wachsen. Die Chance von hohem Wachstum wird auf diese Weise verpasst.

Die Übertragung des Planungsprozesses vom stabilen deutschen Markt auf den sehr volatilen chinesischen Markt und die Betonung der Planungsgenauigkeit ohne Förderung einer wachstumsstarken Entwicklung sind also die Hauptschwachpunkte des deutschen Planungsprozesses in China.

Die Besonderheiten des chinesischen Unternehmensplanungsprozesses:

- Die Zielwachstumsrate geht vor und wird zuerst von oben als Jahresziel vorgegeben:

- Diese Zielwachstumsrate wird an der optimalen Entwicklung des Marktes orientiert. Dieses Ziel zu erreichen ist nicht leicht, es ist aber durch entsprechende Anstrengungen möglich. Unter normalen Umständen dürfte die Wachstumsrate des chinesischen Unternehmens zweistellig sein.
- Planung auf Basis der vorgegebenen Zielwachstumsraten:
- Die Zielwachstumsrate wird nach unten korrigiert. Die Umsetzung des Plans ist an die Prämien des relevanten Personals gebunden. Wenn der Plan nicht erfüllt wird, werden die entsprechenden Mitarbeiter zur Verantwortung gezogen und ihre Prämien gekürzt, bei Erfüllung des Plans werden sie hoch belohnt. Unter hohem Druck und mit dem Anreiz hoher Prämien wird das Maximum aus den Mitarbeitern herausgeholt. Chinesische Unternehmen können so oft viel höhere Wachstumsraten schaffen als deutsche Unternehmen.
- Beibehalten einer hohen Flexibilität und rechtzeitige Anpassung des Plans an Marktveränderungen:
- Angesichts großer Veränderungen auf dem Markt werden Unternehmen nicht nur ihre eigenen Pläne flexibel anpassen müssen, sondern auch von den Lieferanten verlangen, dass sie sich an Änderungen der Nachfrage anpassen und sehr schnell auf die neuen Bedürfnisse reagieren.

Vorschläge zur Verbesserung der Probleme des jährlichen Planungsprozesses deutscher Unternehmen in China:

- Deutsche Unternehmen in China sollten auch bei der Jahresplanung zur Anpassung an die Volatilität des chinesischen Marktes genügend Flexibilität bewahren. Wenn Marktveränderungen zu Budgetabweichungen führen, sollte es Unternehmen jederzeit gestattet sein, ihre Pläne anzupassen, eine angemessene Abweichung vom Plan sollte grundsätzlich zulässig sein.
- Die Unternehmen sollten nicht einfach bezüglich der Planeinhaltung, sondern hauptsächlich bezüglich ihrer Leistung (Umsatzwachstum und Erträge) bewertet werden. Die Führungskräfte sollten unter Druck gesetzt und zu maximaler Leistung gezwungen werden. Es sollte ein Anreizmechanismus, wie die Verknüpfung der Unternehmensleistung mit den Prämien der Führungskräfte, eingeführt werden. Die Prämie sollte nicht fix sein, sondern in ihrer Höhe vom Leistungsniveau abhängen, damit das Streben nach maximaler Leistung gefördert wird.

Vertriebsprozess

Die Implementierung des deutschen Vertriebsprozesses in China verursacht folgende Probleme:

- Die Vertriebs- und Marketingkosten sind zu hoch:
- Für den deutschen Markt geeignetes Marketing ist möglicherweise nicht für den chinesischen Markt geeignet. Chinesische Kunden sorgen sich mehr um die Produktleistung und wollen lieber direkt über die Preise diskutieren. Marketing und Unterlagen müssen nicht so hochwertig und kompliziert sein wie in Deutschland.
- Der chinesische Vertrieb legt mehr Wert auf persönliche Beziehungen. Die persönliche Beziehung zwischen dem Verkäufer und der Schlüsselperson des Kunden spielt daher eine entscheidende Rolle. Aus folgenden Gründen ist eine gute Beziehung mit den Kunden in China viel wichtiger als in Deutschland:
    - Die traditionelle chinesische Kultur betont persönliche Beziehungen. Wenn die Verkäufer mit den Schlüsselpersonen des Kunden Beziehungen (wie Freundschaft) aufbauen können, ist der Verkaufserfolg selbstverständlich. Daher werden die Verkäufer also alles tun, um in den privaten Sektor des Kunden einzutreten und den Kunden zu gewinnen. Im Gegensatz dazu akzeptieren deutsche Kunden in der Regel keine Verkäufer in Privatgelegenheiten. Dies ist ein kultureller Unterschied.

- Es gibt oft Sonderausgaben beim Vertrieb in China. Der Verkauf kann erst getätigt werden, wenn eine besondere Vertrauensbeziehung zu wichtigen Kunden aufgebaut wurde. Aus diesem Grund können die Deutschen in China im Allgemeinen nicht gut Verkäufe tätigen, weil es für Deutschen schwierig ist, diese besondere Vertrauensbeziehung zu chinesischen Kunden aufzubauen.
- Der Vertrieb durch Geschäftsführer ist auch in China ein wichtiges Mittel. Chinesische Kunden glauben, dass die Anwesenheit des Geschäftsführers wertvoll ist und man durch ihn bessere Konditionen bekommen kann. Darüber hinaus ist es einfacher, den Kontakt zu Kunden in höchsten Ebenen und den Verkauf fördern, wenn der Geschäftsführer dabei ist. Daher versuchen die Geschäftsführer oder die leitenden Angestellten in China im Allgemeinen, eine gute persönliche Beziehung zum Geschäftsführer oder den Führungskräften des Kunden aufzubauen.

- Belohnungen und Strafen sind bei deutschen Unternehmen nicht zu unterscheiden:
  Mehr Leistung bringt nicht automatisch mehr Einkommen, die Verkäufer sind also nicht motiviert. Weniger Leistung wird aber auch nicht bestraft, die Verkäufer stehen also auch nicht unter Druck.
  Das deutsche Modell wird Verkäufer bei einem

Markt mit großem Wachstumspotenzial in China stark entmutigen. Wenn die Verkäufer bei Mehrleistung nicht mehr bekommen, sind sie nicht motiviert und arbeiten oberflächlich. Dieses Modell veranlasst alle Niederlassungen, Verkaufsbüros und Verkäufer dazu, die Umsätze so niedriger wie möglich zu planen, um Planerfüllung zu garantieren, da sich alles andere nicht lohnt. Vertriebskostenmanagement ist aufwendig.

- Die Vertriebskosten werden in Deutschland nach praktischem Bedarf ausgegeben und die Gesamtkosten werden über ein fixes Vertriebsbudget gesteuert:

  Dieses einfache Problem in Deutschland wird in China kompliziert, weil es sehr schwierig ist, zu beurteilen, ob und wie hoch eine bestimmte Ausgabe nach welchen Kriterien sein darf. Bei Ausgaben nach Bedarf ohne wirksame Einschränkungen würde das Budget schnell überschritten, zum Beispiel bei Bewirtung. Einladungen von Kunden zum Essen sind in China der einfachste und effektivste Weg, um Kundenbeziehungen aufzubauen.

  Die auftretenden Probleme sind:
  - Welche Kunden sollten eingeladen werden (zu viele Kunden)?
  - Wie oft (basierend auf der Wichtigkeit des Kunden)?
  - Welcher Standard (Restaurants in unterschiedlichen Klassen)?

- Welcher Verkäufer darf wie viel Geld bei der Bewirtung ausgeben?

Allein für Genehmigungen und Prüfungen von Bewirtungen sind die Arbeitsaufwände von Managern und Finanzwesen sehr groß. Die Kostenmanagements anderer Vertriebsaufgaben wie Geschenke, Handygebühren, Benzinkosten, Fahrzeugwartung etc. ist ebenfalls sehr aufwendig. Diese könnten zu Missbrauch und hohen Vertriebsaufgaben führen.

Darüber hinaus gibt es auch ein Problem mit einem festen Vertriebsbudget für einen volatilen Markt wie China. Wenn das Umsatzwachstum den Plan überschreitet, reichen die festen Vertriebsbudgets nicht aus. Wenn Vertriebsaufgaben bei Umsatz unter Planung fix sind, sind die Kosten des Unternehmens zu hoch und der Gewinn sinkt.

- In der Branche, in der ich tätig war, werden in China die Produkte meistens ohne Händler direkt verkauft. Die Verkäufer müssen von der Kundengewinnung über den Vertragsabschluss und die Lieferung bis zur Bezahlung alles machen:
  Der Aufwand der chinesischen Verkäufer ist also größer als der von deutschen Verkäufern.
  Wenn der Verkaufspreis nichts mit den Prämien der Verkäufer zu tun hat, verkaufen sie, um Mehrumsatz zu generieren, zum niedrigsten Preis, den sie anbieten können.

Die größten Probleme des deutschen Vertriebsprozesses in China sind, dass die Vertriebskosten und Managementaufwände zu hoch, das Prämien und die Leistung der Verkäufer entkoppelt sind und kaum Anreizmechanismen bestehen.

Vorschläge zur Verbesserung des deutschen Vertriebsprozesses in China:

- Die Prämie der Verkäufer muss eng mit der Verkaufsleistung zusammenhängen:
  Verkäufer bekommen in China in der Regel ein niedriges festes Gehalt plus Prämie. Das feste Gehalt reicht gerade aus, um einen grundlegenden Lebensstandard aufrechtzuerhalten, ein hohes Einkommen kann nur aus einer guten Leistung kommen. Die Verkaufsprämie ist das Haupteinkommen für die Verkäufer in China. Je besser die Leistung, desto mehr Prämie, die nach oben unbegrenzt ist – die Prämie kann also viel höher sein als das Gehalt. Neben dem Umsatz wird die Höhe der Prämie auch vom Verkaufspreis beeinflusst. Je höher der Umsatz, je höher der Verkaufspreis, desto höher die Prämie. Umgekehrt reduziert sich die Prämie.
- Ein leistungsabhängiges System für Vertriebskosten im prozentualen Zusammenhang mit dem Umsatz muss eingeführt werden:
  Je höher der Umsatz ist, desto höher dürfen die Vertriebskosten sein, ohne Obergrenze, und zwar

für alle relevanten Vertriebsausgaben (einschließlich Bewirtung und Geschenken für Gäste, Handykosten, Benzinkosten, Autoreparatur etc.). Die Ausgaben für Vertriebskosten sollten völlig liberalisiert werden, sodass der Verkäufer die Ausgabe ohne Antrag vollständig selbst bestimmen kann. Sollte ein Verkäufer zu viel ausgeben, müsste er die Kosten selbst tragen, bei geringeren Ausgaben kann der Verkäufer die Differenz hingegen als Prämie behalten. Für die Verkaufsbüros sollte ein ähnliches pauschales Kostenmanagement implementiert werden. Grundsätzlich wird ein bestimmter Prozentsatz des Umsatzes den Büroleitern als Budget vorgegeben, über die Ausgabe dieser Beträge bestimmen die Büroleiter selbst. Wenn die Ausgaben komplett selbstständig bestimmt werden können, erhöht sich auch die Zufriedenheit der Verkäufer dramatisch, sie werden außerdem vorsichtiger beim Ausgeben. Die Vertriebskosten und Managementaufwände werden im Vergleich zu dem vorherigen System (Ausgabe nach Bedarf) deutlich sinken.

- Die Verkaufsunterlagen sollten auf den Bedürfnissen des chinesischen Marktes basieren:
  Die für den chinesischen Markt geeigneten Produktkataloge werden individuell, einfach und praktisch zusammengestellt, die Dokumentationskosten dadurch stark reduziert.

Das größte Merkmal des chinesischen Vertriebsmodells sind Ergebnis- und Leistungsorientierung. Durch die direkte Verknüpfung von Vertriebskosten und Prämien zur Leistung können Vertriebs- und Verwaltungskosten reduziert und die Motivation der Verkäufer erheblich gesteigert werden.

Anwendungstechnik

Die Anwendungstechnik ist für den technischen Service verantwortlich und ein wichtiger Bestandteil des Vertriebsprozesses, er gliedert sich in zwei Teile:

- Der allgemeine technische Service, z. B. eine Montageschulung, wird vom Verkäufer getragen. Nur die komplizierteren technischen Probleme werden von professionellen Ingenieuren gelöst. Aufgrund der hohen Qualifikation und guten Ausbildung können die Verkäufer in Deutschland die meisten technischen Probleme selbst lösen. Daher gibt es nur wenige Anwendungstechniker in Deutschland, die für den globalen technischen Service verantwortlich sind. Im Gegensatz dazu sind chinesische Verkäufer weitaus weniger in der Lage, technische Probleme selbst zu lösen und es gibt viel mehr kleine Kunden in China. Daher werden in China mehr Anwendungstechniker benötigt.
- Eine der wichtigsten Aufgaben des technischen Service in China ist die Bearbeitung individueller technischer Konzepte für Projekte, es muss häufig mit Kunden zusammengearbeitet werden. Kunden können viele Anforderungen stellen und sind nicht auf die starren Vorgaben der Verkäufer beschränkt (weil in China nicht alles so strikt genormt ist wie in Deutschland, muss man hier in der Lage sein, das Produkt flexibel anzupassen).

Umfangreiche technische Schulungen und andere technische Anforderungen, einschließlich individueller technischer Konzepte für Projekte, erfordern zusätzliches technisches Personal. Aus diesem Grund benötigen deutsche Unternehmen in China eine eigene technische Serviceabteilung, die in der deutschen Muttergesellschaft meist nicht existiert.

Produktionsmanagementprozess

Die hohe Produktivität aufgrund eines hohen Automatisierungs- und Mechanisierungsgrades ist ein Grundmerkmal der modernen deutschen Industrie. Die Vorteile der deutschen Produktion liegen vor allem in der technologie- und kapitalintensiven Großserienfertigung. Durch hohe Mechanisierung und Automatisierung kann eine effiziente Produktion erreicht werden. Die Anlagen sind so eingestellt, dass sie bei optimalem Stand automatisch laufen und der Einfluss des Menschen auf die Produktionsgeschwindigkeit begrenzt ist. In einer großen Werkhalle arbeiten z. B. nur eine Handvoll Arbeiter, an einer vollautomatischen Produktionsstraße gibt es nur wenige Bediener. Die Lohnkosten machen also nur einen geringen Prozentsatz der gesamten Herstellungskosten des Produkts aus, die Herstellungskosten bei dieser vollautomatischen und mechanisierten Produktion in großem Umfang sind generell niedrig.

Probleme bei der Implementierung deutscher Produktionsprozesse in China sind:

- Deutschlands hochautomatisierte und hochmechanisierte Produktion basiert auf einer ausreichend großen Anzahl von Serienprodukten und einem hohen Planungsgrad. Ohne ausreichende und stabile Mengen kann eine solche Produktionslinie nicht effektiv arbeiten. Das für die Massenserienproduktion in Deutschland benötigte Volumen basiert auf gleichen Typen und Serien weltweit. Bei vielen individuellen Bestellungen, insbesondere bei kleinen Aufträgen mit vielen manuellen Bearbeitungen, gibt es keinen Kostenvorteil für das deutsche Produktionsmodell. Angesichts der Vielseitigkeit der Produkte und Volatilität auf dem chinesischen Markt ist es schwierig, in großem Umfang mechanisiert und automatisiert zu produzieren, daher können viele Produkte deutscher Unternehmen in China nur arbeitsintensiver als in Deutschland produziert werden. Das Management arbeitsintensiver Unternehmen unterscheidet sich jedoch grundlegend von dem technologieintensiver Produktionen. Es wird Probleme geben, wenn arbeitsintensive Unternehmen in China wie technologieintensive Unternehmen in Deutschland geführt werden.

- Der deutsche Produktionsprozess ist besonders komplex. In Verbindung mit umständlichen Management- und Supportprozessen wird der Bedarf an Verwaltungspersonal steigen und damit die Managementkosten erheblich erhöhen. Die Produktionsmitarbeiter in der deutschen Muttergesellschaft des Unternehmens, bei dem ich tätig war, machen weniger als 15 Prozent der Gesamtbeschäftigten des Unternehmens aus, es gibt wesentlich mehr Verwaltungs- als Fertigungsmitarbeiter. Wir haben mal einem chinesischen Lieferanten geholfen, das Produktionsmanagement zu verbessern. Der chinesische Geschäftsführer räumte ein, dass der deutsche Produktionsprozess den Produktionsablauf deutlich verbesserte, aber die Verwaltungskosten hatten sich mehr als verdoppelt. Das Verhältnis von Verwaltungspersonal zu Fertigungsarbeitern hatte sich erheblich erhöht. Für viele kleine und mittelständische chinesische Unternehmen ist der deutsche Prozess zu kompliziert und langwierig, manche Schritte scheinen gar nicht nötig zu sein. – Das ist der Unterschied in Kultur und Denkweise: Das deutsche Denken betont, lieber mehr zu tun als etwas zu verpassen, im chinesischen Denken sollte hingegen so viel wie möglich eingespart werden; solange die Ergebnisse nicht beeinflusst werden, ist es umso besser, je niedriger die Kosten sind.

- Die Produktion in Deutschland unterliegt einem Zeitlohnsystem. – Die Löhne der Arbeiter werden nach der Arbeitszeit berechnet. Dies steht im Einklang mit der technologieintensiven Produktion. Die Produktion vieler traditioneller Produkte in China, z. B. in der Maschinenbaubranche, ist jedoch mit viel Handarbeit zu großen Teilen noch sehr arbeitsintensiv. In arbeitsintensiven Unternehmen kann das Akkordlohnsystem die Effizienz der Arbeiter erheblich erhöhen und ist kostengünstiger als das Zeitlohnsystem. Die deutschen Unternehmen produzieren in China jedoch meist nach dem gleichen Zeitlohnsystem wie in Deutschland, daher können die deutschen Unternehmen in China häufig nicht die Effizienz chinesischen Unternehmen erreichen. Wenn die Produkte nur auf dem High-End-Markt verkauft werden, können hohe Produktkosten durch hohe Preise ausgeglichen werden, wenn die deutschen Produkte jedoch auf dem Zwischen- und Mid-End-Markt landen und der Verkaufspreis gleich oder ähnlich ist wie der chinesischer Produkte, sind die Produkte deutscher Unternehmen nicht wettbewerbsfähig.

Zusammenfassend betrachtet ist das größte Problem des deutschen Produktionsprozesses in China, dass das Produktionsmodell sich nicht vollständig an den chinesischen Markt anpasst. Das umständliche Management und das ineffiziente Zeitlohnsystem der deutschen Unternehmen in China bewirken zu hohe Produktionskosten.

Merkmale des chinesischen Produktionsmodells:

- In der arbeitsintensiven chinesischen Produktion steht das Akkordlohnsystem im Mittelpunkt und verknüpft das Einkommen der Arbeiter direkt mit den Arbeitsergebnissen. Das Akkordlohnsystem in arbeitsintensiven Unternehmen kann die Begeisterung der Arbeiter maximieren. Die Arbeiter werden im Akkordsystem so viel wie möglich tun, um ihr Einkommen zu erhöhen. Viele Unternehmen wenden auch das *Letzte-Beseitigung-System* an: Die Arbeiter mit niedriger Leistung werden entlassen, um die Arbeitnehmer zu einer kontinuierlichen Verbesserung der Effizienz zu zwingen. Das Akkordlohnsystem verbessert die Wettbewerbsfähigkeit der chinesischen Fertigung in der arbeitsintensiven Produktion erheblich und macht China zu einem Weltproduzenten.

Der Autor besuchte einmal mit deutschen Kollegen chinesische Unternehmen. Die Deutschen waren von der Intensität der chinesischen Arbeiter im Akkordsystem schockiert und sagten, dass chinesische Arbeiter mit einer unfassbaren Geschwindigkeit arbeiten würden, das sei in Deutschland undenkbar.

- Chinesische Unternehmen können trotz der Kleinserienproduktion die niedrigen Kosten und hohe Effizienz einer Massenproduktion erzielen. Dies sind genau das Merkmal und offene Geheimnis des chinesischen Produktionsmodells. Dies wird wie folgt erklärt:
  - Gruppenproduktion:
    Viele kleine Unternehmen konzentrieren sich am selben Ort. Auf diese Weise können die Aufträge für Komponenten aus verschiedenen kleinen Unternehmen gesammelt werden, um die nötige Menge für eine Massenproduktion zu erhalten, beispielsweise konzentrieren sich die Fabriken für Fensterbeschläge hauptsächlich auf den Ort Wenzhou in der Provinz Zhejiang und den Ort Foshan in der Provinz Guang-

dong. In jeder Region gibt es Hunderte von Beschlagherstellern und Zulieferanten.

- Verfügung über gemeinsame Lieferketten:
  Viele Unternehmen sind auf die Herstellung von bestimmten Bauteilen für andere Unternehmen spezialisiert. Sie sammeln Aufträge von bestimmten Bauteilen (z. B. nur Schrauben oder Schließzapfen) oder bestimmte Arten von Bauteilen (z. B. nur Zinkdruckguss-Bauteile) aus vielen kleinen Unternehmen. Auf diese Weise können große Menge erreicht werden. Eine kleine Fabrik nur für die Herstellung von Schließzapfen in Ningbo sammelt z. B. Aufträge von vielen bekannten Beschlagherstellern und setzt viele selbst gebaute Sondermaschinen ein. Dadurch werden die Kosten so stark minimiert, dass diese kleine Fabrik sich zum weltweit größten Hersteller von Schließzapfen entwickelt hat. Es gibt viele solche kleinen Unternehmen in China, die die Kosten von kleinen Bauteilen auf dem Niveau einer Massenproduktion erreichen. Durch die Auslagerung von Bauteilen vermeiden viele kleine Fabriken die hohen Kosten der Eigenproduktion aufgrund der geringen Menge und stellen die preisliche Wettbewerbsfähigkeit des Endprodukts sicher.
- Die Produktion kleiner Chargen oder der Aufträge mit viel Handarbeit ist für große Unternehmen sehr kostspielig. Daher übergeben vie-

le große Unternehmen die bei Eigenfertigung kostenintensiven Produkte an flexible kleine Unternehmen. Dies bildete eine komplementäre Beziehung zwischen großen und kleinen Unternehmen. Eine Gruppe kleiner Unternehmen siedelt sich dementsprechend um die großen Unternehmen an und lebt von deren Aufträgen.

- Ein weiteres Merkmal dieses Modells ist seine extreme hohe Flexibilität. Da Unternehmen klein sind, können sie die Produktion schnell an die Kundenanforderungen anpassen. Dies ist für große Unternehmen schwierig.
- Chinesische Unternehmen können in bestimmten Bereichen wie Arbeitsrecht, Umweltschutzrecht und Steuerrechte Kostenvorteile erzielen, die deutschen Unternehmen in China nicht möglich sind.

Vorschläge zur Verbesserung des deutschen Produktionsprozesses in China:

- Der Produktionsprozess sollte entsprechend den Merkmalen der chinesischen Produktion angemessen vereinfacht werden, um die Managementkosten der Produktion zu senken.
- Angesicht der ständig steigenden Lohnkosten ist die Einführung der Automatisierung und Mechanisierung zur Entwicklungsrichtung für die meisten chinesischen Unternehmen geworden. Dieser Vorgang sollte aber schrittweise und kostengünstig

verlaufen. Es sollten nach Möglichkeit in China hergestellte Anlagen eingesetzt werden, die erschwinglich und für den Produktionsumfang geeignet sind. Grundvoraussetzung ist, dass mit diesen Anlagen die Produktionskosten gesenkt werden können.

- Für Produkte *Made in China* ist es noch nicht möglich, das arbeitsintensive Modell kurzfristig loszuwerden. Wo immer möglich, ist die Steigerung der Effizienz der Arbeiter durch Akkordlohnsysteme die Stärke des chinesischen Produktionsmodells. Ob und wie die Produktionseffizienz und die Kosten deutscher Unternehmen auf das Niveau chinesischer Unternehmen in derselben Branche gebracht werden können, ist entscheidend dafür, ob die deutschen Produkte in den Hauptmarkt (Mid-End-Markt) gelangen können. Nur durch Kombination der Vorteile des deutschen und des chinesischen Managements können sowohl die hohe Qualität des Produkts als auch die niedrigen Produktionskosten garantiert werden.
- Zusammenarbeiten mit chinesischen Unternehmen für kostengünstige Produkten: Angesichts der hohen Kosten der deutschen Produktion ist eine Zusammenarbeit mit chinesischen Partnern erforderlich, um die Wettbewerbsfähigkeit auf dem High-End-Markt zu verbessern und in den Hauptmarkt (Mid-End-Markt) einzutreten. Ein Aufbau strategischer Partnerschaften ist absolut notwendig. Dies

ist besonders wichtig im Mid-End-Markt, wo der Preiskampf scharf ist und die deutschen Unternehmen das Kostenniveau der chinesischen Wettbewerber nicht erreichen können. Die Zusammenarbeit kann in OEM- oder ODM-Form zu Herstellung vieler Nebenprodukte vorgenommen werden oder es kann ein Partner mit der Produktion einer kompletten Kategorie von Produkten mit deutschem Logo beauftragt werden. Durch den Erwerb chinesischer Unternehmen ist es auch möglich, direkt in den Mid-End-Markt einzusteigen.

Die angemessene Vereinfachung des Produktionsprozesses, die schrittweise Einführung von Mechanisierung und Automatisierung, die Übernahme des Akkordlohnsystems und die Zusammenarbeit mit chinesischen Partnern sind wirksame Mittel zur Verbesserung der Produktionsprozesse und Wettbewerbsfähigkeit deutscher Unternehmen in China.

Logistikprozess

Die deutsche Logistik basiert auf genauer Planung und vorhandenen Kundenaufträgen. Der Logistikprozess kann in *Produktionslogistik* und *Kundenversorgungslogistik* unterteilt werden. – Die Produktionslogistik beschafft und verteilt hauptsächlich Rohstoffe und Halbfabrikate für die Produktion. Die Kundenversorgungslogistik verteilt die Waren hauptsächlich nach den Bedürfnissen der Kunden und sendet sie termingemäß an die Kunden.

Der Jahreslogistikplan basiert auf der Unternehmensplanung, darauf werden die Jahrespläne von Produktionslogistik und Kundenversorgung grob aufgebaut. Die konkrete Umsetzung der Logistikprozesse basiert auf Kundenaufträgen. Der Vertrieb gibt die Aufträge des Kunden ins ERP-System ein. Das ERP-System generiert automatisch die Liste der erforderlichen Rohstoffe, Halbzeuge und Fertigprodukte gemäß dem Prozess. Je nach Bedarf wird der Fertigungsauftrag an die Produktion bzw. die Bestellung an den Lieferanten ausgegeben. Die Logistik organisiert Produktion und Bestellung nach Kundenaufträgen und bereitet die Waren gemäß den Lieferanforderungen des Kunden vor.

Die Kundenaufträge sind die Basis der gesamten Logistikführung. Die Genauigkeit des Kundenauftrags bestimmt die Qualität der Lieferung. Alle Aufträge in einem ausgereiften Industrieland wie Deutschland liefern genaue Informationen. Bei der Bestätigung der

Aufträge stellt der Vertrieb eine ausreichende Produktions- und Beschaffungszeit sowie eine klare Lieferzeit gemäß den Prozessanforderungen sicher.

Das größte Problem bei der Implementierung deutscher Logistikprozesse in China ist die Volatilität des chinesischen Marktes, die zur Unvorhersehbarkeit von Kundenaufträgen führt und Logistikprozesse äußerst schwierig macht. Diese Unvorhersehbarkeit kann zu den folgenden drei Situationen führen:

- Vorbestellung wegen Verzögerung der Vertragsabschlüsse und Anpassung der ständigen Veränderungen der Aufträge sind normal in China:
  Da eine Bestellung erst nach Vertragsabschluss oft zu spät ist, werden die Waren meist ohne formelle Aufträge vorbestellt. Die Vorbestellung ist dabei häufig ungenau, Spezifikationen und Mengen werden nur geschätzt und variieren stark. Auch nach Vertragsabschluss ändert sich häufig der Auftragsinhalt und muss kontinuierlich angepasst werden.
- Ungenaue Lieferzeiten bei Auftragserteilung und starke Abweichung von Ist-Lieferzeit zu der vertraglich vereinbarten Zeit:
  Es kommt häufig vor, dass die Waren lieferbereit sind, aber nicht abgerufen werden, weil sich der Investor die Zahlung aufgrund unzureichenden Kapitals nicht leisten kann. Wenn sich die Lieferzeit stark verzögert, erhöht sich der Lagerbestand dementsprechend. Dies führt zu einem geringeren Lagerumschlag und höheren Lagerkosten. Die Inves-

toren werden die Lieferanten aber zu schnellen Lieferungen drängen, sobald sie zahlen müssen. Wenn viele Projekte gleichzeitig geliefert werden müssen, besteht dann möglicherweise das Problem, dass Waren nicht ausreichend vorrätig sind.

- Unzureichende Zeit für die Vorbereitung der Waren aus Deutschland:
  Die deutsche Muttergesellschaft benötigt eine sehr lange Lieferzeit. Normalerweise dauert es zwei bis vier Monate von der Bestellung bis zum Wareneingang. Die meisten chinesischen Kunden können so lange Vorlaufzeiten nicht akzeptieren.

Diese Besonderheiten des chinesischen Marktes führen zu großen Schwierigkeiten der Logistikorganisation. Eine ständige Anpassung der Auftragsinhalte und Lieferzeiten, Schwankungen zwischen übermäßigem und unzureichendem Lagerbestand sind in China normal und auch die beste ERP-Software kann das Problem nicht lösen. Nur flexible Unternehmen können hier überleben.
In der frühen Phase haben wir bei meinem früheren Arbeitgeber viel darunter gelitten. Wenn wir die Bestellung erst nach Vertragsabschluss aufgaben, was in Deutschland üblich ist, war das oft zu spät. Wenn die Waren nach eigenen Schätzungen des Verkäufers organisiert wurden, führte dies aber auch zu einer großen Abweichung zwischen den vorbereiteten Waren und den tatsächlichen Bedürfnissen der Kunden. Infolge-

dessen hat sich der Lagerbestand entweder zu stark erhöht oder die falsch bestellten Waren mussten verschrottet werden.

Die Lösung logistischer Schwierigkeiten in China ist eine große Herausforderung. Vorschläge zur Verbesserung des Logistikprozesses in China lauten wie folgt:

- Aufbau eines Sicherheitsbestands auf der Grundlage historischer Daten:
  Der sogenannte *Sicherheitsbestand* ist ein zusätzlicher Lagerbestand ohne Kundenauftrag. Der Sicherheitsbestand wird hauptsächlich zum Ausgleichen der Abweichung verwendet, die durch ungenaue Kundenaufträge, Leerstände aufgrund zu langer Lieferzeiten in Deutschland oder zur Deckung zufälliger Bestellungen verursacht wurden. Der Aufbau von Sicherheitsbestand basiert hauptsächlich auf statistischen Daten vergangenen Jahren. Zum Beispiel ist der Bedarf nach einem bestimmten Produkt gemäß bestehenden Aufträgen vielleicht nicht groß, aber der Bedarf nach Datenlage wäre höher. Die Logistik kann das dann berücksichtigen und die Lagerbestände entsprechend erhöhen. Dies kann Probleme ausgleichen, die durch eine ungenaue Vorbestellung verursacht werden. Dieser Ansatz bedingt jedoch ausreichende Datenbestände an Kundenaufträgen, damit die Kundenbedürfnisse sich gegenseitig ergänzen und ausgleichen können. Der durch die verspätete Lieferung eines Kunden

verursachte Überbestand kann dann z. B. an einen Kunden geliefert werden, der das Produkt vorzeitig angefordert hat. In einem bestimmten Umfang funktioniert diese Kalkulation der Bedarfsmengen auf Basis der Statistik und je mehr Kunden man hat, je größer also der Umsatz ist, desto genauer und besser funktioniert das. Der Aufbau und Ausbau sowie die kontinuierliche Optimierung des Sicherheitsbestands ist also ein wichtiges Mittel zur Sicherstellung der Versorgung in China.

- Übertragung der Zwischenlagerbestände auf Lieferanten:
  Das Problem großer Lagerbestände und hohen Kapitalbedarfs wegen ständiger Veränderung und häufiger Verzögerung der Lieferzeit auf Kundenseite können wir auf die Lieferanten übertragen. In der Vergangenheit wurden Waren von Lieferanten nach dem geschätzten Datum bei Bestellung geliefert und nach dem Wareneingang sofort bezahlt. Jetzt müssen Lieferanten vor Versand auf eine Benachrichtigung des Bestellers warten. Die Lieferanten werden erst benachrichtigt, wenn die Kunden die Waren wünschen. Solange die Waren bei den Lieferanten lagern, sparen wir Lagerplätze und brauchen nicht zu bezahlen. Dies verlagert die Belastung von uns auf den Lieferanten. Als Ausgleich bekommt der Lieferant einen Auftrag für ein Jahr. Abholung und Zahlung der Waren innerhalb des Jahres werden zugesichert. Die Lieferanten können

bei Großaufträgen mit den Lieferanten zu besseren Bedingungen verhandeln und die eigene Produktion besser planen. Daher akzeptieren Lieferanten dieses Modell gerne. Der größte Vorteil davon sind die Reduzierung des Lagerbestands und die Einsparung von Lagerkosten.

- Einführung eines Vorbestellungs- und Auftragsanpassungssystems mit voller Verantwortung der Verkäufer:
  Um die Aufträge bei ständigen Veränderungen so genau wie möglich zu halten, ist es notwendig, mit den Kunden ständig zu kommunizieren und die Auftragsinhalte kontinuierlich zu aktualisieren. Angesichts der Tatsache, dass die Verkäufer den engsten Kontakt zu den Kunden haben, sollten die Verkäufer ausreichend unter Druck gesetzt werden, die effektive Kommunikation mit den Kunden zu verstärken; der gesamte Vorgang der Vorbestellung und Auftragsanpassung muss vom Verkäufer geleitet und verantwortet werden. Vom Auftragseingang bis zur Lieferung müssen die Verkäufer einbezogen sein. Die Verkäufer nehmen monatlich Anpassungen des Auftragsinhaltes und der Lieferzeit ihrer Kunden vor und fordern die Kunden auf, die Aufträge einmal im Quartal schriftlich zu bestätigen. Bei Nichteinhaltung dieser Regelungen ist der Verkäufer dafür verantwortlich und trägt die entsprechenden Konsequenzen. Der Auftrag wird dann storniert, wenn die bestellte Ware über einen be-

stimmten Zeitraum nicht geliefert werden kann und kein triftiger Grund vorliegt. Konventionelle Produkte werden für den normalen Verkauf in Sicherheitsbestände überführt, unkonventionelle Produkte werden in die schwer verkaufbaren Lagerbestände aufgenommen. Die jeweiligen Verkäufer tragen die Verantwortung. Sonderprodukte, die für bestimmte Kunden angefertigt wurden, werden direkt an den Kunden gesendet, weil sie nicht an andere Kunden weiterverkauft werden können. Die zuständigen Verkäufer müssen die Forderungen dann entsprechend verantworten. Durch die Einführung dieses Systems mit Verkäuferverantwortung und die Verknüpfung des Einkommens der Verkäufer mit dem Ergebnis kann die Abweichung der Kundenaufträge minimiert werden.

Die Kombination dieser drei Maßnahmen mit dem Aufbau und der kontinuierlichen Optimierung von Sicherheitsbeständen aufgrund statistischer Daten über die Jahre, die Übertragung der Zwischenbestände auf die Lieferanten und die Einführung eines Bestellungssystems mit Verkäuferverantwortung können die Logistikprozesse in China deutlich verbessern. Die Anwendung dieser Methoden könnte die Kennzahlen schwächen. Bei der Bewertung des Logistikprozesses in China müssen wir die Schwächung der Kennzahlen aufgrund der Marktvolatilität berücksichtigen und sollten nicht versuchen, dieselben Kennzahlen wie in Deutschland zu erzwingen.

Produktmanagementprozess

Produktmanagementprozesse sind für deutsche Unternehmen sehr wichtig. Die meisten deutschen Unternehmen werden diesen Prozess also direkt von der Muttergesellschaft aus steuern und die Probleme des chinesischen Marktes werden von den deutschen Produktmanagern bearbeitet. Dies verursacht die folgenden Probleme:

- Die Produktmanager in Deutschland kennen den chinesischen Markt nicht und können bei Markteintritt in China kaum helfen. Die meisten deutsche Unternehmen können nur Produkte aus bestehenden deutschen Produkten zum Verkauf in China anbieten. Da die Bedürfnisse des chinesischen und des deutschen Marktes sehr unterschiedlich sind, haben viele deutsche Unternehmen das Problem, dass die vorhandenen Produkte beim Eintritt in den chinesischen Markt nicht geeignet sind.

  Der größte Teil des chinesischen Marktes ist Projektgeschäft. Sobald die Produkte von Projekten vorgegeben sind, wird verlangt, dass die ganze Produktkategorie mit Herstellerlogo aus einer Hand geliefert wird. Diese Vorgehensweise in China bereitet vielen deutsche Unternehmen Probleme, weil sie im Allgemeinen nicht alle Produkte in einer Kategorie selbst produzieren.

  In Deutschland wird das Problem durch Händler gelöst. Die Händler sammeln die Produkte von unter-

schiedlichen Unternehmen und liefern dann vollständige Produktpaletten. In China wird jedoch meistens direkt geliefert, nicht über Händler. Das Problem unvollständiger Produkte muss daher von den Herstellern gelöst werden. Das bedeutet, dass die Hersteller in China eine Doppelfunktion als Hersteller und Händler übernehmen müssen.
Wenn die Produktpalette unvollständig ist, werden die fehlenden Produkte von anderen Herstellern zur Ergänzung herangezogen. Die Marktuntersuchung zur Auswahl geeigneter Produkte und die vollständige Zusammenstellung der anwendbaren Produktpalette sind eine wichtige Aufgabe für jedes deutsche Unternehmen vor und in der frühen Phase des Eintritts in den chinesischen Markt und sollte von Produktmanagern durchgeführt werden, die mit dem chinesischen Markt vertraut sind.

- Für viele deutsche Unternehmen war der chinesische Markt immer ein kleiner Nebenmarkt unter dem deutschen Markt. Sie haben von Anfang an nicht gedacht, dass der chinesische Markt groß genug und mit dem deutschen oder sogar europäischen Markt vergleichbar wäre und der chinesische Markt sich sogar zum Hauptmarkt entwickeln könnte. Daher bleiben die Produkte vieler deutschen Unternehmen nur in dem kleinen High-End-Markt und treten nicht in den Mid-End-Markt ein. Da Chinas High-End-Markt für viele deutsche Unternehmen groß genug ist, können sie das Geschäft am

Laufen halten. Chinas Hauptmarkt (Mid-End-Markt) ist jedoch viel größer und bietet viel größere Geschäftschancen. Dafür sollten geeignete Produkte systematisch und extra entwickelt werden. Wenn der chinesische Markt als Hauptmarkt betrachtet wird, könnte der chinesische den deutschen Markt überholen. Ein größerer Erfolg könnte erzielt werden, indem die auf dem chinesischen Markt hergestellten und wettbewerbsfähigeren Produkte auf den weltweiten Mid-End-Markt gebracht würden. Die Entwicklung geeigneter Produkte für diesen Hauptmarkt in China ist eine sehr wichtige strategische Aufgabe für alle deutschen Unternehmen in China. Nur die deutschen Unternehmen, die Produkte für den Hauptmarkt in China liefern können, können in China und weltweit wirklich erfolgreich sein. Dies ist auch eine wichtige Aufgabe für Produktmanagementprozess.

Deutsche Unternehmen in China brauchen starke lokale Produktmanager, die den chinesischen Markt verstehen, die benötigten Produkte entwickeln und vollständige Produktpaletten zusammenstellen können. Diese Forderung zieht jedoch häufig nicht genügend Aufmerksamkeit in der deutschen Muttergesellschaft auf sich bzw. Produktmanager in Deutschland erfüllen diese Aufgabe häufig nicht, weil sie den chinesischen Markt nicht ausreichend kennen. Die Entwicklung der Produkte für den chinesischen Hauptmarkt sollte von der Niederlassung vor Ort und lokalen Produktmanagern durchgeführt werden. Der Aufbau des Produktmanagementprozesses und starker lokaler Produktmanager in China ist eine wichtige strategische Aufgabe. Die deutschen Unternehmen in China sollten großen Wert darauf legen und es entsprechend umsetzen.

Prozess für Konstruktion und Entwicklung

Konstruktion und Entwicklung (K+E) sind die Stärken deutscher Unternehmen und werden als Prozess in der Regel zentral in Deutschland geführt, um zu verhindern, dass ihr Know-how ins Ausland abfließt. Diese Vorgehensweise wirkt sich sehr nachteilig auf die langfristige gesunde Entwicklung deutscher Unternehmen in China aus.

Für deutsche Unternehmen in China ist der Aufbau des Prozesses K+E in China eine wichtige strategische Entscheidung, denn nur so kann das Problem der Produktmängel auf dem chinesischen Markt grundlegend gelöst werden.

Für die Produktentwicklung haben die Deutschen einen sehr guten Prozess eingerichtet, umfassend und streng, wobei alle Details berücksichtigt werden. Es gibt kaum Probleme mit der Qualität der nach diesem Prozess entwickelten Produkte. Deshalb genießen deutsche Produkte weltweit einen hervorragenden Ruf. Doch angesichts der fortschreitenden Globalisierung der Wirtschaft und des harten Wettbewerbs auf dem Markt sowie der besonderen Betonung auf einem guten Preis-Leistungs-Verhältnis in China haben Geschwindigkeit und Kosten der Produktentwicklung mittlerweile einen großen Einfluss auf den Erfolg eines Unternehmens.

Die Anwendung des deutschen Prozesses für K+E in China ist mit folgenden Problemen verbunden:

- Der deutschen Produktentwicklung fehlen Anreizmechanismen:

  Die Leistung der Konstrukteure ist von ihrem Einkommen entkoppelt; die Entwickler sind wenig gestresst und daran gewöhnt, Schritt für Schritt zu arbeiten. Dies führt zu geringer Entwicklungseffizienz, langer Entwicklungszeit und hohen Kosten.
- Die Projektgenehmigung dauert zu lange:
- Deutsche Unternehmen behalten sich generell das Recht vor, Entwicklungsprojekte in der Muttergesellschaft zu genehmigen. Genehmiger verbringen oft viel Zeit damit, das zu entwickelnde Produkt zu verstehen, was dazu führt, dass das Projekt vom Antrag bis zur Genehmigung viel zu lange dauert. Der Autor hatte mal eine Produktentwicklung beantragt. Der Kunde forderte ein Muster in zwei Monate, die Antragsfrist betrug jedoch bereits mehr als drei Monate. Der Kunde konnte nicht warten und sprang ab.
- Der K+E-Prozess ist oft in einige unwichtige Details verwickelt, was zu einer sehr langen Entwicklungszeit führt:

  Eine wichtige Frage dabei ist, ob neue Produkte perfekt sein müssen, bevor sie auf den Markt gebracht werden. Unter der Voraussetzung der Realisierung von Funktionen und Sicherheit sollten die Produkte in China aber besser so schnell wie möglich auf den Markt gebracht und danach im Gebrauch weiterhin ständig verbessert werden.

- Die Anforderungen an die Produkttoleranz sind zu hoch:
  Deutsche Konstrukteur kennen nur den deutschen Markt und entwerfen Produkte nur nach deutschen Standards. Angesichts des hohen Niveaus der deutschen Industrie insgesamt ist eine hochpräzise Bearbeitung in Deutschland Stand der Technik und leicht zu erreichen. Daher ist der deutsche Konstrukteur aufgrund seines Verantwortungsbewusstseins an hochpräzise Konstruktionen gewöhnt. Manche Anforderung, die in Deutschland schon als hochpräzise und schwer realisierbar angesehen wurden, sind in China nur äußerst schwer zu erfüllen. Ich erinnere mich daran, dass wir versucht haben, einige Fensterbänder in China herzustellen. Wir haben die besten Alu-Profilhersteller in China beauftragen. Nach Prüfung der von uns bereitgestellten deutschen Zeichnungen gaben fast alle Profilfabriken an, dass die Toleranzforderungen für die Verarbeitung zu hoch seien. Mehrere Profilfabriken gaben nach dem Testen auf. Eine bekannte Profilfabrik scherzte, nachdem der Test fehlgeschlagen war, dass die gewünschte Präzision zur Herstellung einer Atombombe verwendet werden könne. – Warum brauchen wir so hohe Präzision für Fensterbänder? Ich habe dieses Thema auch mit deutschen Führungskräften in der Muttergesellschaft besprochen; man weiß dort, dass man das mit deutschen Ent-

wicklern nicht anders machen kann. Deutsche Konstrukteure berücksichtigen weniger die Kosten, sondern mehr die Qualitätssicherheit und Haftung. Zur Sicherheit sollen die Produkte lieber zu kompliziert und anspruchsvoll sein als umgekehrt. Im Gegensatz dazu sind chinesische Konstrukteur hinsichtlich der Genauigkeit ihrer Produkte viel flexibler. Ihr Ausgangspunkt sind nur die Funktionengewährleitung, niedrige Kosten und eine schnelle Vermarktung zu Befriedigung der Nachfrage.

- Das Recht auf Freigabe ist unangemessen und zu starr:
  Das Recht zur Freigabe von Produkten liegt in den Händen deutscher Konstrukteur. Lieferanten während der Verarbeitung haben häufig Abweichungen in der Toleranz. Diese Abweichungen werden vom Konstrukteur bewertet und ggfs. freigegeben, wenn die Funktion nicht beeinträchtigt wird und die Abweichung akzeptable ist. Sobald dieses Produkt zur Produktion nach China gebracht wird, müssen die chinesischen Lieferanten gemäß den Vorgaben genau produzieren und haben kein Recht, etwas zu ändern. Dies erhöht erheblich die Schwierigkeit chinesischer Lieferanten. Die endgültige Freigabe der in China entwickelten Produkte unterliegt ebenfalls dem deutschen Produktmanager. Dieses zentrale Managementsystem wird die Markteinführung immer verzögern.

- Regeln im Prozess sind zu unflexibel und ineffizient: Viele Regeln der deutschen Prozessvorschriften sind zu starr und verlangsamen das Tempo der Produktentwicklung erheblich, zum Beispiel:
    - Bei einer Veränderung der Zeichnung muss die Änderung zuerst fertiggemacht werden, bevor die Zeichnung zur Anfrage an den Lieferanten gesendet werden kann.

      Das Ändern von Zeichnungen dauert oft lange. Bei kleinen Änderungen sollten die Zeichnungen zuerst an den Lieferanten gesendet und die Lieferanten über Änderungsvorhaben informiert werden, somit kann viel Zeit gespart werden.
    - Keine eigene Prüfung ohne Eingang der Prüfungsberichte des Lieferanten.

      Das ist in Deutschland richtig, weil anhand des Prüfungsberichts des Lieferanten bestimmt werden kann, ob die Eigenprüfung überhaupt notwendig ist. Da Eigenprüfung in China unvermeidlich ist, sollte hier aber nicht auf die Prüfungsberichte der Lieferanten gewartet und dadurch Zeit verschwendet werden.
    - Das Produkt darf nicht ohne Serienfreigabe auf dem Markt verwendet werden.

      In vielen Fällen ist das Produkt aber bereits einsatzbereit. Es müssen nur einige kleine Probleme behoben werden, bevor es offiziell freigegeben werden kann. Die Konsequenz sind verpasste Marktchancen.

Vorschläge zur Verbesserung des deutschen K+E-Prozesses in China:

- Die Produktentwicklungsführerschaft und alle Freigaberechte sollten komplett chinesischen Niederlassung übertragen werden. Die deutsche Muttergesellschaft sollte eine Aufsichtsfunktion haben und nur den Vorgang überwachen. Der Prozess muss nicht zu 100 Prozent mit dem in Deutschland identisch sein und sollte an den chinesischen Markt angepasst werden.
- Für Produkte mit unterschiedlichen Marktanforderungen sollten unterschiedliche Standards gelten. Für Produkte, die auf dem deutschen und chinesischen Markt verwendet werden, sollten deutsche und chinesische Standards implementiert werden. Für Produkte, die speziell für den chinesischen Markt entwickelt und verkauft werden, sollten hauptsächlich chinesische Standards übernommen werden.
- Es sollte eine richtige Bewertung aller Toleranzanforderungen bei der Entwicklung neuer Produkte erfolgen. Außer den notwendigen Toleranzanforderungen sollten andere Anforderungen möglicherweise gelockert werden, da hohe Toleranzanforderungen auf Kosten der Produkte gehen. Im Prinzip sollten unnötige Toleranzanforderungen reduziert werden, man braucht nur die Toleranz zu Gewährleistung der Produktfunktionen und sollte diese nicht aus Sicherheitsgründen unnötig erhöhen.

- Der K+E-Prozess sollte ausreichend flexibel sein. Es ist nicht erforderlich, alle Schritte zu befolgen und alle Probleme vor dem nächsten Schritt zu lösen. Wenn es Probleme gibt, die sich nicht oder wenig auf die Funktionalität des Produkts auswirken, sollten diese flexibel behandelt werden. Auch wenn einige Produkte die Freigabekriterien noch nicht zu 100 Prozent erreicht haben, aber bereits verwendbar sind, sollten Konstrukteur in diesem Fall die Produkte zuerst vorläufig freigeben, damit diese bestellt werden können und der Bedarf gedeckt werden kann. Die verbleibenden Probleme werden dann schrittweise verbessert. Produktmanager sollten in der Lage sein, das flexibel zu behandeln.
- Es sollte ein Anreizmechanismus zur Beschleunigung des K+E-Prozesses und zur Verkürzung der Entwicklungszeit eingeführt werden. Unternehmen sollten den Konstrukteuren genügend Druck und Motivation geben, um Produkte so schnell wie möglich zu entwickeln. Die Mentalität der Deutschen für Perfektion und Stabilität führt oft zu einer langsamen Entwicklung, daher sollte ein Mechanismus eingerichtet werden, der die Konstrukteure motiviert und die Entwicklungsgeschwindigkeit den Anforderungen des Marktes anpasst.
- Ein Qualitätsvorsprung gegenüber Wettbewerbern sollte nur eingehalten werden, wenn der Markt angemessen höhere Preise für die qualitativ hochwertigeren Produkte zahlt oder ein solcher Vorsprung

ohne Mehrkosten erzielt werden kann. Die deutsche Muttergesellschaft meines letzten Arbeitgebers verlangt seit Langem, dass die Produktqualität mindestens fünf Prozent besser ist als die der Wettbewerber. Aber diese bessere Qualität hat ihre Kosten. Theoretisch sollten unsere Produkte wegen besseren Qualität zum Ausgleich der Mehrkosten teurer sein als die der Wettbewerber, aber aufgrund des harten Wettbewerbs auf dem Markt konnten unsere Produkte trotz der Mehrkosten nur zum gleichen Preis verkauft werden. Also konnte dieser Qualitätsvorsprung wegen der höheren Kosten nicht dauerhaft eingehalten werden. Innovationsführerschaft als Produktstrategie ist richtig, es sollten jedoch unterschiedliche Anforderungen für unterschiedliche Produkte bestehen. Bei Standardprodukten sind Umfang und Menge sehr groß, der Markt dafür preisempfindlich. Daher sollte die Kostensenkung in den Vordergrund gestellt werden. Unter der Voraussetzung der Gewährleistung von Funktion und Qualität ist es umso besser, je niedriger die Kosten sind. Innovative Produkten mit neuen Funktionen und besserem Design sollten zu höheren Preisen verkauft werden, weil deren Kosten auch entsprechend höher sind.

Unter Beibehaltung der Kernanforderungen des deutschen K+E-Prozesses sollten die Produktentwicklung und Freigaberechte in China durch die chinesischen

Tochterunternehmen geführt werden. Außerdem ist die Einführung von Anreizmechanismen für die Konstrukteure zur Effizienzerhöhung und Verkürzung der Entwicklungszeit nötig, dazu die Lockerung unnötiger Toleranzanforderungen und die Anwendung passender Qualitätsstandards gemäß den Anforderungen des chinesischen Marktes zu Entwicklung von Produkten mit besserem Preis-Leistungs-Verhältnis.

Einkaufsprozess

Im Folgenden werden hauptsächlich die Probleme erörtert, die bei der Umsetzung des deutschen Einkaufsprozesses in China auftreten:

- Muss Qualität bei der Auswahl der Lieferanten an erster Stelle stehen?

  Beim Vorstellungsgespräch der Einkaufsleiterin der chinesischen Niederlassung war der Autor beeindruckt von der Frage des Deutschen: »Wie gewichten Sie die Qualität, den Preis und die Zahlungsbedingungen?« Wenn *Qualität* nicht an erster Stelle steht, wird das Interview nicht bestanden.

  Aufgrund des relativ geringen Preisdrucks auf dem deutschen Markt können Lieferanten und Kunden ein gewisses Gewinnniveau halten. Die Anforderungen an den Lieferanten sind also mehr Qualität und Service. Qualität an erster Stelle und Auswahl der besten Lieferanten sind richtig, wenn der Produktgewinn hoch genug ist. In den meisten Fällen hat der harte Wettbewerb auf dem chinesischen Markt jedoch die Gewinnspanne der Produkte erheblich verringert und die Produzenten zu Preissenkungen gezwungen. Die Produzenten müssen dann den Druck auf die Lieferanten verlagern und sichern so das eigene Überleben. Im Vergleich zur Qualität auf dem deutschen Markt ist auf dem chinesischen Markt häufig das Preis-Leistungs-Verhältnis ausschlaggebend bei der Auswahl der

Lieferanten. Dies bedeutet jedoch nicht, die Qualitätsanforderungen aufzugeben, sondern nur die Wichtigkeit des Preises zu betonen. Unter der Voraussetzung der Gewährleistung der Funktion und Qualität sollte der Kaufpreis so günstig wie möglich sein. Ohne Rücksicht auf die Marktsituation in China können einseitige Qualitätsanforderungen entweder zu höheren Einkaufspreisen führen oder kein geeigneter Lieferant gefunden werden.

- Nur deutsche Prozesse können Qualitätsanforderungen garantieren?

  Es wird nicht anerkannt, dass auch andere Wege zur erforderlichen Qualität führen können.

  Die Kriterien des deutschen Einkaufs zur Bestimmung der Eignung eines Lieferanten beziehen sich nicht nur darauf, ob dessen Produkt die Qualitätsanforderungen erfüllen kann. Es ist noch wichtiger, die Produktions- und Qualitätsmanagementprozesse des Lieferanten vor Ort zu überprüfen. Wenn die Inspektion vor Ort unbefriedigend ist, ist sie nutzlos, egal wie gut die Musterqualität ist.

  Nach Ansicht der Deutschen können die von Lieferanten gelieferten Produkte ohne die Unterstützung moderner Produktions- und Qualitätsmanagementprozesse keine Langzeitstabilität garantieren. Dies ist das deutsche Prozesssicherungssystem. Das Prinzip der *Prozesssicherung* an sich ist richtig, aber viele deutsche Unternehmen verstehen *Prozesssicherung* als *deutsche Prozesssiche-*

rung und kopieren zu 100 Prozent jedes Detail des Prozesses in Deutschland.
Ich möchte dieses Problem anhand einer realen Geschichte beschreiben: Da die Oberfläche der Produkte meiner Firma vor 20 Jahren die neueste europäische Titansilberoberfläche war und es diese in China nicht gab, war die Suche nach einem qualifizierten Galvanikbetrieb die erste Aufgabe. Es wurde einer gefunden und aufgefordert, die gleiche Chemikalien wie in Deutschland zu verwenden, obwohl es diese Chemikalien in China nicht gab. Infolgedessen wurden sie ohne Rücksicht auf die hohen Kosten aus Deutschland importiert, obwohl es in China bereits viele importierte Chemikalien gab, die dieselben oder sogar bessere Ergebnisse erzielen konnten. Am Ende waren die chemischen Erzeugnisse aus Deutschland wegen der langen Transport- und Wartezeit abgelaufen und mussten weggeworfen werden. Hier wurde die Prozesssicherung zu oberflächlich verstanden. Es wurde ignoriert, dass neben dem deutschen Prozess auch noch andere Prozesse zum gleichen Ergebnis kommen konnten und Chinesen mit ihren eigenen Prozessen gleiche oder zumindest ähnliche Qualitätsniveaus mit viel niedrigeren Kosten erreichen konnten. Solange die Produktqualität in Ordnung und stabil ist, kann der chinesische Prozess doch übernommen werden, warum müssen auf Teufel komm raus die deutschen Prozesse eingesetzt werden?

Beispielsweise zu Gewährleistung der Verarbeitungsgenauigkeit wird der chinesische Lieferant mehrere einfache Maschinen hintereinanderstellen und jede Maschine nur einen Bearbeitungsschritt durchführen lassen. Da die Vorrichtungsposition fest ist, kann die Bearbeitungsgenauigkeit garantiert werden. Auf diese Weise können die komplizierten Bauteile, die normalerweise nur durch teure Bearbeitungszentren hergestellt werden können, durch Kombination vielen einfacher Vorrichtungen produziert werden. Darüber hinaus kann die hundertprozentige Inspektion die Qualität des Produkts garantieren, was in Deutschland nicht möglich ist.

Das größte Problem bei der Umsetzung des deutschen Einkaufsprozesses in China ist das übermäßige Streben nach Qualität streng nach deutscher Prozesssicherung, was entweder zu hohen Einkaufskosten führt oder keine geeigneten Lieferanten zulässt.

Vorschläge zur Verbesserung des deutschen Einkaufsprozesses in China:

- Aufbau und Pflegen potenzieller Lieferanten:
  Wenn die Kaufvolumen nicht groß genug und die Qualitätsanforderung zu hoch sind, müssen zunächst geeignete Lieferanten ausgewählt werden, um auf dem chinesischen Markt ein angemessenes Preis-Leistungs-Verhältnis zu erzielen. Der bevorzugte Lieferant sollte nicht derjenige sein, der den

europäischen Standard vollständig erfüllt und dafür sehr teuer ist. Bei den Produkten, deren Einkaufspreise einen großen Einfluss auf die Gesamtkosten haben, sollten bei der Auswahl der Lieferanten das Preis-Leistungs-Verhältnis an erster Stelle stehen. Auch wenn der ausgewählte Lieferant in einigen Aspekten vorübergehende Probleme hat, sollte er unterstützt werden, wenn er das Potenzial zum Aufbau hat.

Zum Einkauf unter Marktniveau sollte man den Lieferanten bei der Kostensenkung helfen. Zum Beispiel haben die chinesischen Lieferanten normalerweise zusätzliche Kosten bei der Abwicklung von kleinen und volatilen Bestellungen, bei schlechter Bezahlung und während des Beziehungsaufbaus zu Kunden. Wenn man eine strategische Partnerschaft mit wichtigen Produktlieferanten eingeht und stabile und große Kaufmengen (Zusammenstellung der Bestellungen), gute Zahlungsbedingungen und eine saubere Beschaffung gewährt, können die Lieferanten diese zusätzlichen Kosten einsparen und eine kostengünstige Beschaffung unterhalb des normalen Marktniveaus gewährleisten. Zu Gewährleistung einer langfristigen und strategischen Zusammenarbeit und der Einkaufspreise unter Marktniveau sollten die Partner einen Mindestgewinn erzielen dürfen und die Kosten der Partner sollten dafür transparent sein. Dies erfordert die aktive Zusammenarbeit der Partner. Solch eine

Partnerschaft kann erst nach dem Konsens mit der Geschäftsleitung des Lieferanten aufgebaut werden, daher ist die Beteiligung des Geschäftsführers an der Auswahl wichtiger Lieferanten in China manchmal sehr wichtig.

- Prozesssicherheit und Qualitätsstandards werden eingehalten:
  Es sollte jedoch akzeptiert werden, dass der Lieferant einen anderen Prozess als den deutschen anwendet. Solange der vom Lieferanten implementierte Prozess zuverlässig ist und die Qualität garantiert werden kann, muss er nicht mit dem deutschen Prozess identisch sein. Lieferanten müssen keine modernen Produktionsanlagen haben, aber sie sollten über die grundlegende Hardware und Managementmethoden zur Garantie der Produktqualität verfügen.

Die Betonung des Preis-Leistungs-Verhältnisses bei der Auswahl der Lieferanten und die Erlaubnis von anderen Prozessen als nur deutsche sowie der Aufbau strategischer Partnerschaften mit wichtigen Lieferanten können die Beschaffungskosten trotz Qualitätssicherung senken und den deutschen Einkaufsprozess in China verbessern.

Qualitätsmanagementprozess

Der deutsche Qualitätsmanagementprozess ist ein Produkt des deutschen Industriesystems. Der Prozess ist vollständig und einwandfrei, bei der Umsetzung auf dem chinesischen Markt müssen jedoch folgende Aspekte berücksichtigt werden:

- Wareneingangsprüfung ist in China sehr wichtig. In Deutschland kann davon ausgegangen werden, dass die gelieferten Produkte die Selbstinspektion durch den Lieferanten bestanden haben und direkt eingelagert werden können, solange der Lieferant die ISO9001-Zertifizierung besteht. Da chinesische Lieferanten nicht wie deutsche Lieferanten die vollständige Selbstkontrolle zu Qualitätssicherung durchführen können, ist ein eigenes Qualitätsprüfsystem erforderlich. Das heißt, in China benötigt man eine starke Wareneingangsprüfung zu Qualitätssicherung.
- Lieferantenschulungen sind auch eine wichtige Aufgabe des Qualitätsmanagements in China, damit ein Qualitätsprüfsystem bei den Lieferanten richtig aufgebaut werden kann.
- Um die umfangreichen Wareneingangsprüfungen und ständigen Prüfungen für Produkte aus Eigenentwicklung und Eigenfertigung durchzuführen, sollten die deutschen Unternehmen in China über eigene Prüfungsstation verfügen. Viele deutsche Unternehmen vertrauen ihre chinesischen Toch-

terunternehmen nicht und bestehen darauf, alle Produkte in Deutschland zu prüfen und freizugeben. Infolgedessen kommt es zu langen Wartezeiten. Auch das Prüfzentrum in Deutschland wird dadurch stark beeinträchtigt. Grundsätzlich sollten alle in China hergestellten und gekauften Produkte auch in China geprüft werden können.

- Es ist ein wichtiges Prinzip, die geltenden Normen am Anwendungsort zu bestimmen. Wenn der deutsche Standard überall eingehalten wird, wird die Auswahl der Lieferanten erschwert und die Kosten erheblich erhöht. Auf Produkte, die nur auf dem chinesischen Markt verwendet werden, sollten hauptsächlich chinesische Standards angewandt werden.

  Zwischen der deutschen Muttergesellschaft meines letzten Arbeitgebers und der chinesischen Niederlassung gab es große Meinungsverschiedenheiten bezüglich der Umsetzung lokaler Standards. Die größte Sorge der deutschen Muttergesellschaft war, dass chinesische Produkte nach Deutschland oder in andere Länder geliefert werden und unterschiedliche Qualitätsstandards dann Probleme verursachen könnten. Das ist verständlich, weil wir nicht kontrollieren konnten, wo unsere Kunden unsere Produkte verwendeten. Daher hat die deutsche Muttergesellschaft immer darauf bestanden, dass das Produkt zur Freigabe nach Deutschland geschickt werden musste und erst nach Prüfung in

Deutschland freigegeben werden konnte. Das deutsche Prüfungszentrum verfügte jedoch über entweder keine Prüfungsanlage für viele einzigartige Produkte in China oder keine Kapazität für die umfangreichen Produkte aus China. Es wurde schließlich folgender Konsens erzielt:

- Auf dem chinesischen Markt verkaufte Produkte müssen über einen Prüfbericht eines national anerkannten Prüfzentrums verfügen, um sicherzustellen, dass in China verkaufte Produkte legal sind.
- Alle Verträge mit chinesischen Kunden müssen eine Klausel enthalten, dass alle in China verkauften Produkte nur in China eingesetzt werden dürfen. Wenn der Kunde das Produkt ohne Genehmigung auf einem ausländischen Markt verwendet, trägt er die Folge auf eigenes Risiko. Dies schließt die rechtlichen Probleme bei Verwendung des Produkts im Ausland aus, die durch unterschiedliche geltende Normen verursacht werden.

Seither verlangt die deutsche Muttergesellschaft nicht mehr, dass alle Produkte zur Prüfung nach Deutschland geschickt und von Deutschland freigegeben werden. Das vereinfacht den Freigabeprozess des Produkts erheblich, verkürzt die Entwicklungszeit, verbessert die Effizienz der Produktentwicklung und beschleunigt die Markteinführung.

Der Prozess zur Kundenreklamationsbearbeitung muss an die Anforderungen des chinesischen Marktes und der Kunden angepasst werden. Laut dem deutschen System muss bei einer Reklamation Schritt für Schritt eine Reihe Formalitäten abgearbeitet werden und diese dauern oft sehr lange. In China treten jedoch folgende Probleme auf:

- Die Bearbeitungszeit in Deutschland ist zu lang, als dass Kunden warten könnten. Der chinesische Markt erlaubt oft keine so ordentliche Herangehensweise an das Problem. Wenn das Problem in China nicht rechtzeitig behoben wird, kann es dem Kunden passieren, dass er hohe Vertragsstrafen an seine eigenen Kunden zahlen muss.
- Komplexe Reklamationsprozesse können zu Unzufriedenheit und Ablehnung seitens der Kunden führen.

Unter den oben genannten Umständen müssen bei der Bearbeitung von Kundenreklamation in China die folgenden Prinzipien beachtet werden:

- Schnelle Bearbeitung: Das Prinzip für Reklamationsbearbeitung ist, zuerst das Problem zu lösen und dann die Ursache zu analysieren. Kundenfeedback innerhalb von 24 Stunden ist erforderlich. Bei Reklamationen sollten Mitarbeiter schnell vor Ort sein und das Problem abklären bzw. lösen.
- Bei häufigen Problemen sollte das Reklamationsverfahren so weit wie möglich vereinfacht werden,

um die Arbeitsbelastung der Kunden zu verringern.

- Kundenzufriedenheit geht vor. Man sollte zuerst Rücksicht auf den Kunden nehmen und manchmal auch bei Problemen, die vom Kunden verursacht werden, Kompromisse eingehen. Für einige wichtige Kunden müssen manchmal sogar unberechtigte Reklamationen akzeptiert werden.

Ein starker Qualitätsmanagementprozess unter der Leitung einer chinesischen Tochtergesellschaft ist eine Garantie für den erfolgreichen Betrieb eines deutschen Unternehmens in China. Die Anwendung geeigneter Qualitätsstandards gemäß der Marktanforderungen zur Sicherstellung der Legalität der in China verwendeten Produkte, die flexible Bearbeitung der Kundenreklamationen und die Verfügung über eine von der deutschen Muttergesellschaft zertifizierten Prüfungsstation mit Freigaberechten sind wichtige Maßnahmen zu Verbesserung des deutschen Qualitätsmanagementprozesses in China.

Finanzmanagementprozess

In einem Rechtsstaat wie Deutschland werden sich die meisten deutschen Unternehmen bewusst an das Gesetz halten. Die Überwachung und Kontrolle deutscher Steuerbehörden ist locker und human. Chinesischen Unternehmen hingegen fehlt das rechtliche Bewusstsein und es gibt viele Probleme mit Steuerhinterziehung. Infolgedessen mussten die Steuerbehörden viele strenge Überwachungsmaßnahmen mit chinesischen Merkmalen einführen. Die staatliche Steuerbehörde heißt *Steueramt in China* anstatt *Finanzamt in Deutschland.* Ausgangspunkt ist die Verhinderung von Steuerhinterziehung. Chinas Finanzsystem unterscheidet sich also in vielerlei Hinsicht von Deutschland. Es gibt dadurch Probleme bei der Umsetzung deutscher Finanzmanagementprozesses in China, der Finanzmanagementprozess muss vielmehr den nationalen Bedingungen Chinas angepasst werden.
Die Unterschiede und Behandlungen der Finanzmanagementprozesse in China und Deutschland werden unter folgenden Gesichtspunkten erörtert:

1. Berechnung des Umsatzes

Die Berechnungsmethode ist gesetzlich in beiden Ländern gleich. In Branchen ohne Zahlungsprobleme gibt es keinen Unterschied. In Branchen mit schlechter Zahlungsglaubwürdigkeit werden die Umsätze vieler chinesischer Unternehmen jedoch mit den *Fapiaos-Beträgen* (*Fapiao* ist die chinesische Bezeichnung für *Rechnung*) berechnet. Da sich die Zahlung des Kunden normalerweise verzögert, kann der Zahlungseingang nach dem Versand der Ware lange dauern. Wenn die Fapiao sofort nach Lieferung ausgestellt wird, treten folgende Probleme auf:

- Das Unternehmen muss die Steuer im Monat der Fapiao-Ausstellung an das Steueramt abführen. Es ist jedoch schwierig, beim Steueramt eine Steuerrückerstattung zu beantragen; wenn ein Kunde nach Bestätigung der Fapiao und Abzug der Steuer bei Steueramt nicht zahlen will, kann die gezahlte Steuer nicht erstattet werden. In diesem Fall gibt es außer einer Klage keine andere Möglichkeit, die gezahlten Steuern zurückzufordern. Daher entscheiden sich viele Unternehmen, insbesondere solche mit einen hohen Zahlungseingangsrisiko, das Geld vor der Fapiao-Ausstellung einzuziehen.
- Aufgrund von Forderungsschwierigkeiten verwenden viele Unternehmen Fapiao als Druckmittel, denn erst nach Erhalt des Fapiao kann der Kunde die Kosten finanziell buchen und die Steuer abziehen. Sobald das Fapiao ausgestellt wurde, verringert sich der Zahlungsanreiz des Kunden. Daher bestehen viele Unternehmen auf einer Zahlung vor der Fapiao-Ausstellung.

- Wenn die Forderungen hoch sind, erhöhen sich auch die abzuführenden Steuern. 20–30 Prozent Forderungsanteil am Gesamtumsatz sind normal in China und dies kann zu Cashflow-Problemen führen. Um Probleme mit dem Cashflow zu vermeiden, werden Unternehmen ebenfalls Zahlungen vor der Fapiao-Ausstellung fordern.
- Kunden verlangen manchmal eine verspätete Fapiao-Ausstellung und entscheiden, wann sie das Fapiao benötigen. In diesem Fall können die Umsätze ebenfalls nicht gebucht werden.

Ob ein deutsches Unternehmen in China diese Methode der Zahlung vor der Fapiao-Ausstellung wie bei chinesischen Unternehmen anwendet, hängt von der Kreditwürdigkeit in seiner Branche ab. Bei Branchen mit guter Bonität kann das Standardmodell der Fapiao-Ausstellung nach Lieferung übernommen werden. Theoretisch ist dieser Ansatz einer Zahlung vor Fapiao-Ausstellung fehlerhaft. Es besteht der Verdacht auf verspätete Steuerzahlung. Viele Unternehmen behandeln die Lieferungen, die nicht in Fapiao gestellt wurden, als Transitinventar. Das Steueramt ist sich dieser Situation ebenfalls bewusst. Da es sich statt Steuerhinterziehung nur um eine verspätete Steuerzahlung handelt und keinen Steuerverlust für den Staat bedeutet, drückt das Steueramt da ein Auge zu. Sollte das Steueramt zur Prüfung kommen, kann das Unternehmen die Steuer kurzfristig vor der Prüfung abführen, daher ist dieser inoffizielle Ansatz in China sehr beliebt.

2. Das chinesische Fapiao-System

Das chinesische Fapiao wird sehr streng verwaltet. Fapiaos werden vom Steueramt ausgestellt und müssen gekauft werden.
Chinas Fapiaos werden in zwei Kategorien unterteilt: Mehrwertsteuer-Fapiaos und normale Fapiaos. Bei Mehrwertsteuer-Fapiaos kann die Mehrwertsteuer abgezogen werden. Normale Fapiaos können nur als Aufwand verwendet werden und sind nicht mehrwertsteuerabzugsfähig. Das chinesische Steueramt wird von allen Unternehmen mit Mehrwertsteuer-Fapiaos verlangen, dass sie ein *Gold-Steuersystem* (softwaregestützte Hardware) installieren müssen, damit die Mehrwertsteuer-Fapiaos online geprüft werden können. Der Fapiao-Missbrauch und sogar die Verwendung gefälschter Fapiaos zur Steuerhinterziehung ist ein häufiges Phänomen in China. Es gibt sehr viele Tricks und Methoden, daher ist der Kampf gegen Fapiao-Missbrauch eine der wichtigen Aufgaben des chinesischen Steueramtes. Wenn ein Unternehmen sorgfältig geprüft wird, werden immer Probleme hinsichtlich der Fapiaos gefunden.
Der richtige Umgang mit dem Fapiao-Problem ist für deutsche Unternehmen in China wichtig.

3. Das einzigartige Steuermanagement in China

Das chinesische Steueramt stellt für jedes Unternehmen einen Steuerbetreuer zur Verfügung, der das Unternehmen bedient und überwacht. Unternehmen können sich jederzeit an den Steuerbetreuer zu Unterstützung bei Steuerfragen wenden.

Zur Überwachung der chinesischen Unternehmen wird eine sogenannte *Steuerquote* mit chinesischen Merkmalen als Bewertungskriterien eingeführt (Steuerquote = jährliche Nettosteuer abzüglich Bruttojahresumsatz). Es wird eine auf der lokalen Steuersituation basierende Mindeststeuerquote festgelegt. Unternehmen, die die Mindeststeuerquote überschreiten, werden grundsätzlich als problemlos betrachtet. Jedes Unternehmen, das die Mindeststeuerquote nicht einhält, wird als *ungewöhnliches Unternehmen* scharf überwacht. Die Steuerbetreuer werden kommen und abklären, warum die Mindeststeuerquote nicht erreicht wurde. Kurzfristig unter der Mindeststeuerquote zu liegen kann durch schlechte Geschäftstätigkeit erklärt werden. Wenn man über einen längeren Zeitraum unter der Mindeststeuerquote bleibt und kein ausreichender Grund vorliegt, wird man automatisch der Steuerhinterziehung verdächtigt. Im schlimmsten Fall wird vom Steueramt vor Ort steuerlich geprüft.

Mit anderen Worten: Solange die Mindeststeuerquote nicht erreicht wird, werden Unternehmen Probleme haben. Daher müssen die deutschen Unternehmen in

China ihr Bestes tun, dass ihre eigene Steuerquote die lokale Mindeststeuerquote übersteigt. Diese Mindeststeuerquote ist eine nicht öffentliche aber obligatorische Anforderung in China. Die Grundlage dieser Mindeststeuerquote ist einfach: Es ist unmöglich, dass ein Unternehmen langfristig unter dem Mindestniveau überlebt.

Mit dieser Mindeststeuerquote hatten wir mal Probleme. Unser Unternehmen musste in der Anfangsphase einen großen Lagerbestand aufbauen und viele Steuern bei Warenimport ans chinesische Zollamt bezahlen. Dadurch waren die Abzüge so hoch, dass wir lange Zeit keine Steuern beim örtlichen Steueramt zahlen mussten. Der Steuerbetreuer kam und fragte, weil unsere Steuerquote nicht die lokale Mindeststeuerquote erreichte. In der Tat war unsere Steuerquote viel höher als die Mindeststeuerquote, es war nur so, dass die Steuern an den nationalen Zoll aber nicht an das örtliche Steueramt gingen. Die vom Steueramt berechnete Steuer berücksichtigt aber nur die an das örtliche Steueramt gezahlte Steuer. Letztendlich mussten wir nur ein Lager in einer Duty-Free-Zone einrichten und Waren in dieser Zone lagern, um die Zölle zu verzögern und die Abzüge zu reduzieren. Auf diese Weise konnten wir Steuern vor Ort zahlen und die Mindeststeuerquote erreichen.

Die Bewertung von Unternehmen mit der Mindeststeuerquote ist eine erfolgreiche Methode zur Steuereinnahme.

4. Forderungsmanagement

Der Umgang mit Forderungen in Deutschland ist relativ einfach, hat nichts mit den Verkäufern zu tun und wird von der Buchhaltung abgewickelt. Es wird an ein Inkassobüro oder einen Anwalt ausgelagert, wenn die Zahlung nach der dritten Mahnung nicht erfolgt ist.
Chinas Immobilieninvestoren z. B. betreiben im Allgemeinen ein Schuldenmodell. Die meisten Investoren werden Lieferanten zur Vorfinanzierung zwingen, z. B. werden die Standardzahlungsbedingungen für eine Fensterfabrik wie folgt lauten:

- 10–30 % Vorauszahlung
- weitere 20–30 % Zahlung, wenn Fenster an die Baustelle geliefert wurden
- weitere 20 % Zahlung, wenn die Fenster eingebaut werden
- weitere 15% Zahlung, wenn die Fenster komplett eingebaut sind
- weitere 5–10% Zahlung, wenn die eingebauten Fenster vom Prüfer abgenommen wurden
- Restzahlung nach 2–3 Jahre Garantiezeit

Die Fensterfabrik muss die Projekte also vorfinanzieren, weil die Vorauszahlung die Kosten nicht deckt. Daher benötigt die Fensterfabrik wiederum die Vorfinanzierung ihrer Zulieferanten. Dies hat bereits zu ernsthaften Forderungsproblemen der Zulieferanten geführt. Die sogenannte *Vorfinanzierung* bedeutet in der Praxis nichts anderes als die Vergabe von Darlehen an Kunden.

Vorfinanzierung ist normal in Chinas Immobilienbranche. Die Unternehmen müssen diese Vorfinanzierung akzeptieren und sich daran anpassen, andernfalls müssen sie aussteigen. Zur Anpassung an die chinesische Immobilienbranche sollte man also z. B. als Lieferant von Fenstern guten Kunden Vorfinanzierung gewähren. Es gibt viele Vorfinanzierungsarten in China, bleiben wir jedoch in der Immobilienbranche, da gibt es im Allgemeinen die folgenden zwei Formen:

- Kreditlinie für gute Kunden:
  Diese Methode eignet sich z. B. für Fensterfabriken mit Dauerbedarf. Kreditlinien werden in der Regel auf einem bestimmten Prozentsatz des Vorjahresumsatzes bereitgestellt. Unterhalb dieser Kreditlinie können Kunden die Waren ohne Zahlung zuerst erhalten. Im Allgemeinen ist das auf langfristige kooperative Kunden mit gutem Ruf beschränkt. Diese Kreditlinie ist gleichbedeutend mit einem Darlehen an die Fensterfabriken, sodass diese die Immobilieninvestoren vorfinanzieren können. Hat ein Kunde z. B. im letzten Jahr für 1.000.000 RMB eingekauft, bekommt er in diesem Jahr eine Kreditlinie von 100.000 RMB. Solang die Lieferung unter 100.000 RMB bleibt, braucht der Kunde nicht zu bezahlen, aber ab 100.000 RMB muss der Kunde die Differenz zu 100.000 RMB sofort bezahlen. Die Kreditlinie von 100.000 RMB muss der Kunde hingegen erst am Jahresende bezahlen, d. h. bekommt der Kunde ein Darlehen über 100.000 RMB für ein Jahr.

- Zahlung ab der zweiten Lieferung:
  Diese Zahlungsmethode eignet sich für Fensterfabriken mit großen Projekten. Die erste Lieferung muss nicht bezahlt werden, ab der zweiten Lieferung wird für jede weitere Lieferung die vorherige Lieferung bezahlt. Die volle Zahlung erfolgt vor der letzten Lieferung.

Dies sind Zahlungsbedingungen auf chinesische Art. Das dämpft den Zahlungsdruck der Fensterfabriken und garantiert den Geldeingang am Ende. Trotzdem gibt es nur wenige Kunden, die vollständig vertragsgemäß bezahlen, weil die Investoren ihrerseits auch nur selten vertragsgemäß bezahlen. Der Umgang mit Forderungen ist in China sehr kompliziert und schwierig; Forderungsmanagement ist in China eine Kunst. Die deutsche Methode mit Anwaltseinsatz nach drei Mahnungen würde in China nicht funktionieren. Wenn alle Kunden, die nach drei Mahnungen nicht zahlen würden, angeklagt würden, wären zu viele Kunden betroffen und verärgert. Darüber hinaus verfügt das Finanzwesen einfach nicht über die Fähigkeit und Zeit für Forderungsmanagement. In China werden die Forderungen meistens vom Verkäufer abgewickelt. Wie gut das Geld eingeht, hängt zum großen Teil von der Beziehung zwischen dem Verkäufer und dem Kunden ab. Die Forderung muss an die Prämie des Verkäufers gebunden sein. Die Verkäufer, die ihre Forderungen gut im Griff haben, bekommen zusätzliche Prämien. Die Verkäufer mit schlechtem Zahlungseingang bekommen weniger Prämien oder gar keine, wenn ein Kunde nicht zahlen sollte.

5. Zwei Buchführungen

Da die Finanzmanagementsysteme der beiden Länder unterschiedlich sind, müssen die deutschen Unternehmen in China zwei Bücher führen, eines für das chinesische Steueramt und das andere für den Konzern intern. Die beiden Bücher entsprechen den Finanzsystemen Chinas und Deutschlands. Inhaltlich sind beide Bücher identisch, sie unterscheiden sich nur in einigen Details in Abhängigkeit von den nationalen Gegebenheiten der beiden Länder.
Viele deutsche Unternehmen verwenden global einheitliche Finanzsoftware, die nicht mit dem chinesischen Finanzsystem kompatibel ist. Daher verwenden viele deutsche Unternehmen in China zusätzliche chinesische Finanzsoftware, um Berichte für das chinesische Steueramt zu erstellen. Dies verursachten doppelte Buchhaltungen und Prüfschwierigkeit der deutschen Muttergesellschaft. Um dieses Problem zu lösen, kann in der Software oftmals ein Modul für das zweite Buch gemäß den chinesischen Steueranforderungen eingerichtet werden. Das heißt, die Basisdaten sind dieselben, aber die Berichte werden gemäß den Anforderungen von Deutschland und China separat erstellt.

6. Patent- und Markengebühren

Um Gewinne legal zu reduzieren und weniger Körperschaftssteuer zu zahlen, können die deutschen Unternehmen in China Patentgebühren und Markennutzungsgebühren vor Steuer an die Muttergesellschaft auszahlen. Gemäß den nationalen Vorschriften beträgt die Gebühr für die Patentnutzung zwei Prozent des Umsatzes der selbst hergestellten Produkte und die Gebühr für die Markennutzung zwei Prozent des Umsatzes des Unternehmens. Insgesamt können also drei bis vier Prozent des Umsatzes als Aufwand erfasst und steuerfrei an die deutsche Muttergesellschaft ausgezahlt werden. Das ist eine sehr effektive Maßnahme für Steuereinsparungen.

Personalmanagementprozess

Deutscher Unternehmen haben bei Eintritt in den chinesischen Markt einige Entscheidungen zu treffen.

- Die erste Frage ist, ob der Geschäftsführer der deutschen Unternehmen in China Chinese oder Deutscher sein sollte:
  Generell vertrauen die Deutschen mehr den Deutschen und deutsche Unternehmen sind eher bereit, Deutsche als Geschäftsführer in China einzusetzen, als einen Chinesen damit zu betrauen. Es ist jedoch schwierig für deutsche Unternehmen in China, einen geeigneten deutschen Geschäftsführer zu finden, daher konzentrieren sich viele deutsche Unternehmen ihre Aufmerksamkeit auf Chinesen mit internationalem Hintergrund.
  Die erste Aufgabe der meisten deutschen Unternehmen auf dem chinesischen Markt ist der Verkauf. Für den Verkauf in China müssen wie erwähnt Kundenbeziehungen aufgebaut werden, was wiederum nicht gerade die Stärke der Deutschen ist. Nur aus diesem Grund sind viele deutsche Unternehmen letztlich doch bereit, in der Anfangsphase Chinesen einzusetzen.
- Deutsche Unternehmen sind in der Regel eher bereit Chinesen einzustellen, die in Deutschland studiert und in deutschen Unternehmen gearbeitet haben, da diese mit der deutschen Sprache und Kultur vertraut sind. Bei der Suche nach einer chi-

nesischen Führungskraft in Deutschland bevorzugen viele deutsche Unternehmen wiederum diejenigen Chinesen, die in Deutschland aufgewachsen und total germanisiert sind. Das könnte aber problematisch sein, weil diese Chinesen sich arrogant gegenüber den chinesischen Mitarbeitern und Kunden verhalten und sich nicht leicht in das soziale Umfeld Chinas integrieren könnten. Im Allgemeinen akzeptieren chinesische Mitarbeiter und Kunden ungern diese Art von völlig germanisierten und dadurch arroganten chinesischen Managern nicht. Das ist ein Problem, das deutsche Unternehmen bei Suche nach chinesischen Managern häufig übersehen. Was deutsche Unternehmen in China brauchen, sind nicht diejenigen Manager, die nur die Deutschen mögen, sondern Manager, die von Chinesen und Deutschen beiderseitig akzeptable werden.

Aufgrund der rasanten Entwicklung der chinesischen Marktwirtschaft, der Globalisierungstrends und insbesondere nach 40 Jahren Reform- und Öffnungspolitik existieren in China bereits eine Menge sehr guter professioneller chinesischen Manager mit internationalem Hintergrund, die sich für deutsche Unternehmen in China hervorragend eigenen.

- Chinesische Unternehmen übertragen üblicherweise Firmenanteile an die Führungskräfte, um diese langfristig ans Unternehmen zu binden, denn wenn das Management direkt an der Firma beteiligt ist, arbeiten sie schon aus reinem Eigennutz härter. Das Gehalt der Führungskräfte kann dann entsprechend reduziert werden. Einige chinesische Unternehmen experimentieren sogar mit einer hundertprozentigen Beteiligung aller Mitarbeiter am Unternehmen. Deutsche Unternehmen in China sind hingegen meist Familienunternehmen, in der Regel konservativ und berücksichtigen keine Mitarbeiterbeteiligung.

- Die Personalpolitik ist in China wichtig und sollte von deutschen Unternehmen vorsichtig betrieben werden. Das typischste Modell ist das amerikanische, wonach die besten Leute mit entsprechend hohem Gehalt eingestellt werden. Dieses Modell basiert darauf, dass diese *Besten* wesentlich höhere Gewinne erwirtschaften als der Durchschnitt. Viele deutsche Unternehmen in China verfolgen ähnliche Personalmodelle ohne Rücksicht auf das Marktniveau. In Deutschland ist das Gehaltsniveau innerhalb einer Branche relativ homogen, die Personalkosten machen normalerweise rund 30 Prozent der Gesamtkosten aus. In China schwankt das Gehaltsniveau hingegen sehr stark und der Anteil der Personalkosten bewegt sich zwischen 10 und 25 Prozent. Es gibt in China noch großen Spielraum bei der Personalpolitik, wodurch sich bei geschickter Auswahl ein vernünftiges Gehaltsniveau erreichen lässt, was die Personalkosten niedrig hält. Welche Art von Personalpolitik zur Senkung der

Personalkosten angewendet wird, sollten die deutschen Unternehmen in China anhand ihrer Ertragssituation und unter Berücksichtigung des durchschnittlichen Gehaltsniveaus der Branche entscheiden.

- Folgende Fragen sollten deutsche Unternehmen in China bei der Personalplanung bedenken:
  - Sollten alle Mitarbeiter Fremdsprachenkenntnisse haben?

    Die Gehälter von Mitarbeitern mit Fremdsprachenkenntnissen sind in China häufig doppelt so hoch oder noch höher, trotzdem ist die Fluktuation dieser Mitarbeiter stark, weil die Nachfrage durch ausländische Unternehmen in China groß ist. Es wird immer jemanden geben, der einen Mitarbeiter mit Fremdsprachenkenntnissen mittels eines höheren Gehalts abwirbt. Die einzige Möglichkeit, diese Mitarbeiter zu binden, sind entsprechend hohe Gehälter.
  - Welche Mitarbeiterqualifikation sollten deutsche Unternehmen in China fordern?

    Im Gegensatz zur traditionell lebenslangen Beschäftigung deutscher Mitarbeiter weisen gute Mitarbeiter in China eine hohe Fluktuationsrate auf, weil die Gehaltsniveaus chinesischer Unternehmen sehr unterschiedlich sind. Ein chinesisches Sprichwort sagt: *Die Menschen gehen an höhere Stellen, das Wasser fließt an niedrigere Stellen.* Gute Mitarbeiter werden also zu besser zahlenden Unternehmen wechseln, wenn es ihnen möglich ist.

- Welche Gehaltspolitik sollten deutsche Unternehmen in China einsetzen?
  Das Gehaltsniveau in China schwankt sehr stark und ist nicht so homogen wie in Deutschland. Die Gehaltspolitik sollte mit der Rentabilität des Unternehmens und dem Gehaltsniveau der Branche im Einklang stehen. Beispielsweise ist das Gewinnniveau in der chinesischen Baubranche begrenzt und Unternehmen mit einem Vorsteuergewinn (EBT) von 10 Prozent gelten bereits als sehr gut, das Gehaltsniveau in der Baubranche muss also zwangsläufig relativ niedrig sein, wohingegen in anderen Branchen höhere Löhne gezahlt werden müssen, wenn man gute Mitarbeiter gewinnen will.

Vorschläge zur Verbesserung des deutschen Personalmanagementprozesses in China:

- Der Geschäftsführer sollte am qualifiziertesten sein und über dem Marktniveau entlohnt werden.
- Nur die Stellen, die oft mit der deutschen Muttergesellschaft kommunizieren müssen, sollten Mitarbeiter mit Fremdsprachenkenntnissen beschäftigen, ansonsten sollten aus Kostengründen Mitarbeiter ohne Fremdsprachenkenntnisse eingestellt werden.
- Wichtige Positionen erfordern gute Mitarbeiter, alle anderen Positionen müssen nicht unbedingt mit den besten verfügbaren Leuten besetzt werden.

- Das Gehaltsniveau sollte für wichtige Positionen angemessen höher als der Marktdurchschnitt sein und für andere Positionen geringfügig höher als in anderen chinesischen Unternehmen derselben Branche. Auf diese Weise wandern die Mitarbeiter nicht so schnell ab.
- Es ist notwendig, die Denkweise der Chinesen – *Lieber gleich arm als unterschiedlich reich* – zu berücksichtigen. Die Löhne sollten auf derselben Ebene ungefähr gleich sein, um Unzufriedenheit zwischen den Arbeitnehmern zu vermeiden.
- Es sollte ein Drei-Ebenen-Modell für wichtige Positionen eingerichtet werden, um sicherzustellen, dass offene Positionen bei Mitarbeiterwechsel rechtzeitig besetzt werden können, beispielsweise Manager, stellvertretender Manager und Managerassistent. Das Drei-Ebenen-Modell kann die Personalreserve jeder Abteilung sicherstellen, weil bei Bedarf sofort ein Nachrücker für die wichtigere Position zur Verfügung steht und die Mitarbeiter können dadurch ihre Entwicklungsperspektiven klar erkennen, was zur Motivation beiträgt.
- Es sollten möglichst wenige Führungskräfte von außen geholt, sondern idealerweise Mitarbeiter innerhalb des Unternehmens gefördert und aufgebaut werden, sonst kann das Gleichgewicht innerhalb des Unternehmens gestört werden. Interner Aufbau stimmt eher mit der chinesischen Unternehmenskultur überein.

- Einzelkämpfer sollten nicht gefördert werden, sondern Teamwork. Es sollte vermieden werden, dass das Unternehmen von bestimmten Mitarbeitern zu stark abhängig wird. Unternehmen sollte in Prozessen geführt werden, bei denen Mitarbeiterwechsel keinen großen Einfluss auf die Ergebnisse haben.
- Implementierung einer leistungsabhängigen Zielvereinbarung mit chinesischen Merkmalen, die die Prämie der Mitarbeiter mit deren Leistung verknüpft. Die Zielvereinbarung in Deutschland ist üblicherweise relativ lasch und die Mitarbeiter stehen nicht unter Druck, die Motivation in Deutschland ist daher meist geringer als in China. Um auf dem chinesischen Markt bestehen zu können, muss man aber vorzugsweise chinesische Methoden anwenden.

Allgemeine Analyse von *Made in China* und *Made in Germany*

Abschließend werden die Eigenschaften *Made in Germany* und *Made in China* allgemein analysiert und die Entwicklungstrends der beiden Modelle grob abgeschätzt.

Eigenschaften *Made in Germany*

Die Deutschen haben ein komplexes Industriesystem geschaffen, das mit seinem äußerst strengen, seriösen und überlogischen Denken weltweit als Vorbild angesehen wird. Produkte, die in diesem System hergestellt werden, stehen für hohe Qualität und Zuverlässigkeit. Die deutschen Industrienormen (DIN) sind ebenfalls europäische Standards und auch die wichtigsten Referenzstandards für chinesische und weltweite Industriestandards.

Im Bereich der High-End-Fertigung, insbesondere im traditionellen Maschinenbau und der chemischen Industrie sowie in vielen anderen Bereichen, können deutsche Produkte mit ihrem starken technischen Know-how, dem Qualitätsvorsprung und der Fähigkeit zur großen Serienproduktion weiterhin die Wettbewerbsfähigkeit bewahren, um mit anderen Weltmarken auf dem Hauptmarkt zu konkurrieren. Beispiele hierfür sind hochpräzise Werkzeugmaschinen, die Automobilindustrie sowie chemische und pharmazeutische Produkte.

Es gibt viele kleine und mittelständige deutsche Unternehmen, die über einzigartiges Know-how verfügen und einzigartige Produkte herstellen, die zu *Hidden Champions* geworden sind – weltweit gibt es ca. 2.700 *Hidden Champions*, davon sind laut Aussage des *Bundesverbandes mittelständische Wirtschaft* fast die Hälfte deutsche Mittelständler. Diese Produkte sind wettbewerbsfähig, weil die meisten aus Familienunternehmen stammen, die über Generationen hinweg Fachwissen angesammelt haben. Da in diesen Bereichen die technische Schwelle hoch und der Mengenbedarf niedrig ist, ist der Preis nicht so relevant wie in anderen Bereichen.

Das übermäßige Streben nach hoher Qualität und die Vernachlässigung des Peis-Leistungs-Verhältnisses haben jedoch die Wettbewerbsfähigkeit deutscher Produkte beeinträchtigt. Sobald die Wettbewerbsfähigkeit aber verloren geht, werden deutsche Produkte vom Hauptmarkt verdrängt, zum Beispiel auf dem Markt für Kameras und Haushaltsgeräte.

In den Märkten, die ihre Wettbewerbsfähigkeit verloren haben, haben sich deutsche Produkte zwar aus dem Hauptmarkt zurückgezogen, können aber immer noch einen kleinen Anteil der High-End-Märkte mit Superqualität und hohen Preisen besetzen, wie zum Beispiel *Leica Kameras* und *Miele Waschmaschinen* sowie andere hochwertige High-End-Produkte.

Wo *Made in Germany* nicht mehr wettbewerbsfähig ist, können die deutschen Produkte durch die Zusammenarbeit mit lokalen Unternehmen in OEM- und ODM-Form oder Markenübertragung weiterhin bestehen und einen bestimmten Marktanteil einnehmen.

Eigenschaften *Made in China*

China ist das einzige Land der Welt, das alle Industriekategorien in der UN-Industrieklassifikation besitzt. Unter den mehr als 500 großen Industrieprodukten der Welt steht China bei mehr als 220 Produktionsarten an erster Stelle. Dies verschafft China einen einzigartigen und unabhängigen Wettbewerbsvorteil in der Lieferkette.

China verfügt mit seinen 1,4 Milliarden Einwohnern über einen riesigen Binnenmarkt, die Mittelschicht in China mit über 300 Millionen Menschen erzeugt eine enorme Nachfrage. Die *One-Belt-one-Road*-Strategie hat die Marktgröße weltweit ausgebaut. Der gigantische Markt ermöglicht das riesige chinesischen Industriesystem und erlaubt *Made in China* zu expandieren.

China verfügt über eine sehr gute Infrastruktur und unterhält Industrieparks im ganzen Land. Diese bieten eine sehr gute Grundlage und kostengünstige Logistik.

China kann durch Massenproduktion mit Hocheffizienz sehr niedrige Herstellungskosten ermöglichen und durch kleine Gewinne beim Absatz großer Mengen

starke Wettbewerbsvorteile gegenüber anderen Ländern erzielen.
Made in China zeichnet sich durch eine breite Produktpalette auf dem High-End-, Mid-End- und Low-End-Markt aus, denn chinesische Produkte sind mittlerweile auch erfolgreich in den High-End-Markt eingetreten und dominieren gleichzeitig weiterhin den Mid-End- und Low-End-Markt. Auf dem Weltmarkt haben chinesische Produkte umfassende Durchbrüche erzielt und sind teilweise führend. China hat jedoch noch einen langen Weg vor sich, um Deutschland bei der High-End-Fertigung einzuholen.
Die Qualifikation der chinesischen Nation in Bezug auf Fleiß und Gewissenhaftigkeit hat die Grundlage für *Made in China* geschaffen, die rasch steigenden Lohnkosten werden die Wettbewerbsfähigkeit von *Made in China* jedoch in gewissem Maße schwächen.
Das Streben nach hoher Effizienz, niedrigen Kosten und hoher Flexibilität macht chinesische Unternehmen äußerst wettbewerbsfähig, bringt aber auch gewisse Abstriche mit sich, die die Produktqualität und Lebensdauer stark beeinträchtigen können.

Sowohl *Made in Germany* als auch *Made in China* werden mit ihrer eigenen Stärke noch langfristig koexistieren und sich ergänzen sowie miteinander konkurrieren. Auf lange Sicht wird *Made in China* auf dem internationalen Markt einen Vorteil gegenüber *Made in Germany* haben und Marktanteile gewinnen, solange es sich um arbeitsintensive Branchen und Massenprodukte handelt. *Made in Germany* wird sich in Richtung hochwertiger und hochpräziser Produkte in technologieintensiven Bereichen bewegen. *Made in Germany* nimmt eine wichtige Führungsposition in den High-End- und Spezialmärkten ein. Chinesische Unternehmen werden sich im Mid-End- und High-End-Markt weiter etablieren, indem sie die Qualität kontinuierlich verbessern.

In China werden die deutschen Unternehmen ihre Effizienz weiter verbessern und ihre Position im High-End-Markt beibehalten, gleichzeitig die Kosten senken und in den Zwischenmarkt und den Mid-End-Markt eintreten. Nur diejenigen deutschen Unternehmen, die die Vorteile von *Made in Germany* und *Made in China* gut integrieren und nutzen können, können auf dem chinesischen Markt wirklich erfolgreich sein.